STÄHLI

SOLARE ELEMENTE IM JAHWEGLAUBEN DES ALTEN TESTAMENTS

ORBIS BIBLICUS ET ORIENTALIS

Im Auftrag des Biblischen Instituts der Universität
Freiburg Schweiz
des Seminars für biblische Zeitgeschichte
der Universität Münster i. W.
und der Schweizerischen Gesellschaft
für orientalische Altertumswissenschaft
herausgegeben von
Othmar Keel
unter Mitarbeit von Erich Zenger und Albert de Pury

Zum Autor:

Hans-Peter Stähli (geboren 1935), Dr. theol., Studium der evangelischen Theologie
und orientalischer Sprachen in Bern, Basel, Montpellier und Jerusalem, 1962–1966
Fakultätsassistent an der Ev.-theol. Fakultät der Universität Bern, seit 1966 Stu-
dienprofessor für Hebräisch an der Kirchlichen Hochschule Bethel (Bielefeld).

Veröffentlichungen: Knabe – Jüngling – Knecht. Untersuchungen zum Begriff
נער im Alten Testament (1978); Hebräisch-Kurzgrammatik (1984); Hebräisch-
Vokabular (1984); Aufsätze zu Problemen des Alten Testaments in 'Wort und
Dienst' und Artikel im 'Theologischen Handwörterbuch zum Alten Testament'.

ORBIS BIBLICUS ET ORIENTALIS 66

HANS-PETER STÄHLI

SOLARE ELEMENTE IM JAHWEGLAUBEN DES ALTEN TESTAMENTS

UNIVERSITÄTSVERLAG FREIBURG SCHWEIZ
VANDENHOECK & RUPRECHT GÖTTINGEN
1985

CIP-Kurztitelaufnahme der Deutschen Bibliothek

Stähli, Hans-Peter:

Solare Elemente im Jahweglauben des Alten Testaments / Hans-Peter Stähli. –
Freiburg (Schweiz): Universitätsverlag;
Göttingen: Vandenhoeck & Ruprecht, 1985.

(Orbis biblicus et orientalis; 66)
ISBN 3–7278–0335-5 (Universitätsverlag)
ISBN 3–525-53689-5 (Vandenhoeck & Ruprecht)
NE: GT

J.J.STAMM ZUM 75.GEBURTSTAG

VORWORT

Die hier vorgelegte Arbeit ist hervorgegangen aus den Vorbereitungen
für eine Übung, die ich im Wintersemester 1983/84 unter dem Thema
'Antike Synagogenkunst und rabbinische Exegese' an der Kirchlichen
Hochschule hielt. Die Behandlung des Themas rückte notwendigerweise
immer wieder alttestamentliche Fragestellungen mit ins Blickfeld.
Im Zusammenhang der Beschäftigung mit den Synagogenmosaiken von Beth-
Alpha, die in ihrem Zentrum die aus dem Dunkel der Nacht aufgehende
Sonne auf dem Sonnenwagen darstellen, drängte sich so auch die Frage
nach der Bedeutung der Sonne im Alten Testament auf.

Ursprünglich für einen Gastvortrag konzipiert, der im Spätherbst
1983 unter dem Titel 'Éléments solaires dans la foi yahwiste de l'Ancien Testament' an der Faculté de Théologie de l'Université de Neuchâ-
tel gehalten wurde, ist die Arbeit für die deutsche Fassung überarbei-
tet, an verschiedenen Stellen erweitert und insgesamt mit Anmerkungen
versehen worden.

Mit ihr grüße ich zu seinem fünfundsiebzigsten Geburtstag Herrn
Professor J.J.Stamm (Wabern/Bern), der in freundschaftlicher Weise
meinen Weg von den Anfängen meines Studiums an durch all die Jahre
hindurch begleitet hat.

Herrn Professor O.Keel danke ich für die freundliche Aufnahme
der Arbeit in die Reihe 'Orbis Biblicus et Orientalis'.

Bethel-Bielefeld, im Frühling 1985

INHALT

I. Die Sonne in der antiken Synagogenkunst - Solarisierung des jüdischen Glaubens?

Vor etwas mehr als fünfzig Jahren wurde in der Jesreelebene die aus dem 6.Jh.n.Chr. stammende Synagoge von Beth-Alpha entdeckt und ausgegraben[1]. Ihr Mosaikfußboden, einer der besterhaltenen, gehört mit zu den bekanntesten antiker Synagogenkunst[2]. Mit seinen auf drei Bildern dargestellten Themen bringt er wesentliche Glaubensinhalte jener jüdischen Bauerngemeinde des 6.Jh. zur Sprache: Die Opferung Isaaks (^{C}Aqeda) am Eingang der Synagoge; den Toraschrein, Repräsentant des in seinem Wort, in der Tora, gegenwärtigen Gottes, auf der gegenüberliegenden Seite vor der Apsis; und - interessant und erstaunlich - im Zentrum nicht nur der Architektur, sondern vor allem des Zeugnisses jüdischen Glaubens, die aus dem Dunkel der Nacht aufgehende personifizierte Sonne auf dem Sonnenwagen mit den vier Rossen, umgeben vom Tierkreis (Zodiak).

Die Herkunft der Darstellung ist ohne Zweifel der Sonnengott Helios der heidnischen Umwelt. Mit ihr wird die Suprematie der kosmischen Ordnung unter der Herrschaft des Sol Invictus proklamiert[3]. Dabei mag es nun freilich verwundern, daß das Judentum ausgerechnet die Sonne, die "als eine das Alltagsleben wie den gesamten Naturverlauf bestimmende Kraft"[4] nicht zu leugnen war, der synagogalen Ikonographie integriert hat, dies um so mehr, als sie im antiken Herrscherkult "eine beträchtliche Rolle spielte"[5].

[1] Zu Einzelheiten vgl. E.L.Sukenik, The Ancient Synagogue of Beth-Alpha (1932); weitere Literatur bei F.Hüttenmeister, Die jüdischen Synagogen, Lehrhäuser und Gerichtshöfe, TAVO, Beiheft B/12/1 (1977) 44ff.

[2] Vgl. Sukenik aaO. 21ff; Abb. Pl.VIII (Toraschrein), X (Tierkreis), XIX (Opferung Isaaks). M.Avi-Yonah weist auf die "verve populaire" des Mosaiks hin, durch die es berühmt geworden sei (Le Symbolisme du Zodiaque dans l'art Judéo-Byzantin, in: ders., Art in Ancient Palestine. Selected Studies [1981] 396-397, hier 396).

[3] Vgl. E.R.Goodenough, Jewish Symbols in the Greco-Roman Period 8/2 (1958) 214.

[4] J.Maier, Die Sonne im religiösen Denken des antiken Judentums, ANRW II 19.1 (1979) 346-412, hier 347f.

[5] Maier aaO. 348. Zum Kaiserkult vgl. u.a.: G.Herzog-Hauser, Art. Kaiserkult, PRE Suppl. IV 806-853; K.Latte, Römische Religionsgeschichte, HAW V.4 (1960) 312-326; A.Wlosok (Hg.), Römischer Kaiserkult, WdF 372 (1978); verschiedene Beiträge in ANRW II 16.2 (1978), u.a. R.Turcan, Le culte impérial au III° siècle, aaO. 996-1084; P.Herz, Bibliographie zum römischen Kaiserkult (1955-1975), aaO. 833-910. - Zum Sonnengott

Wie ist das Eindringen dieses in seiner bildlichen Darstellung zweifelsohne hellenistischen Motivs zu erklären, dessen frühesten und den
klassischen Prototypen am nächsten stehenden Vertreter[6] wir in der
aus dem 4.Jh. stammenden Synagoge von Hammath-Tiberias[7] finden?

Die Erklärung als bloße Dekoration, wie etwa H.Strauss sie meint
annehmen zu können[8], ist wenig überzeugend und genügt nicht[9]. Ebensowe-

(Sol) vgl. u.a.: Marbach, Art. Sol, PRE III A 1(II,5) 901-913, besonders 906ff; F.Altheim, Der unbesiegte Gott. Heidentum und Christentum
(1957); Latte aaO. 349ff; G.H.Halsberghe, The Cult of the Sol Invictus
(1972); H.Dörrie, Die Solar-Theologie in der kaiserzeitlichen Antike,
in: H.Frohnes, U.W.Knorr, Die Alte Kirche. Kirchengeschichte als Missionsgeschichte, Bd.1 (1974) 283-292; weiter die zum Kaiserkult angege-
bene Literatur passim.

6 Immerhin ist hier darauf hinzuweisen, daß Rosetten-Ornamente, wie sie
häufig auf Synagogenfriesen und anderswo schon früher begegnen - häufig auch mit apotropäischer Bedeutung - mit jenen Rosetten auf Bildern
des Alten Orients in Zusammenhang zu bringen sind, die solare Bedeutung haben. Vgl. BRL^2 102 mit Abb. 30; Goodenough aaO. (Anm.3) 194.

7 Vgl. M.Dothan, The Synagogue at Hammath-Tiberias, in: L.I.Levine, Ancient Synagogues Revealed (1981) 63-69; vgl. auch Maier aaO. (Anm.4)
383, Avi-Yonah aaO. (Anm.2) 396. Abbildung u.a. in Levine, Ancient Synagogues 8. - Andere, jedoch stark beschädigte Mosaike mit Sonne und
Zodiak sind bekannt aus Na^{c}aran bei Jericho (vgl. Encyclopaedia of Archaeological Excavations in the Holy Land [hebr., 1970] II, 414ff; Abbildung auch in Levine, Ancient Synagogues 136), Hussifa auf dem
Karmel (vgl. Enc.Arch. I, 151f).

8 "Uns Heutigen mag Helios (bzw. Sol invictus) mit den Sonnenpferden im
Fußbodenmosaik der Synagoge von Beth-Alpha (...) oder von Hamat-Tibe-
rias merkwürdig vorkommen; die Juden sahen damals darin den natürli-
chen Mittelpunkt einer Dekoration, die die Sternbilder in ihrer übli-
chen Darstellung wiedergab. Die künstlerische Ausdrucksform wurde übernommen, die inhaltliche Bedeutung war gleichgültig, und diese Gleich-
gültigkeit gegenüber dem Inhalt der Darstellung bei Werken der bilden-
den Kunst werden wir immer wieder bei den Juden feststellen" H.Strauss,
Die Kunst der Juden im Wandel der Zeit und Umwelt [1972] 27). Vgl. auch
schon E.E.Urbach (The Rabbinical Laws of Idolatry in the Second and
Third Centuries in the Light of Archaeological and Historical Facts,
IEJ 9 [1959] 149-165.229-245), der - vor allem ausgehend von Inschriften und Dekorationen auf Sarkophagen in Beth-Schearim - das Vorkommen
heidnischer Motive in der jüdischen Kunst mit dem Bilderverbot dadurch
auszusöhnen versucht, daß er diesen bloß ornamentale Bedeutung, "for
decorative purposes only" (236), zuschreibt (vgl. 152f.165.236ff und
passim).

9 Vgl. G.Stemberger, Die Bedeutung des Tierkreises auf Mosaikfußböden
spätantiker Synagogen, Kairos 17 (1975) 23-56, hier 26f. Zur Kritik gegenüber Urbach vgl. J.Neusner, Early Rabbinic Judaism. Historical Studies in Religion, Literature and Art, SJLA 13 (1975) 143.157f.175f.
Stemberger seinerseits möchte, zum Teil in der Nachfolge von I.Renov
(The Relation of Helios and the Quadriga to the Rest of the Beth-Alpha
Mosaic, Yedioth 18 [1954] 198-201), die Sonnendarstellung in Hammath-

nig wird man die Darstellung als Reverenz und Zeichen der Loyalität des palästinischen Judentums gegenüber dem Kaiserkult deuten und erklären können[10], war doch die Ablehnung des Herrscherkults tief verwurzelt und wurde in dieser Beziehung jeder Art möglichen Götzendienstes ein striktes Nein entgegengesetzt[11]. Es ist bedeutsam und verdient Beachtung, daß die älteste Darstellung des Sonnenwagens aus dem 4.Jh. stammt, also aus einer Zeit, da - abgesehen von einem kurzen Intermezzo des Kaisers Julian (361-363) mit seiner Helios-Theologie[12] - das Christentum zur Herrschaft im Römischen Reich gelangt war und die Gestalt Christi den Sieg gegen den Sol Invictus errungen hatte, eine Darstellung der Sonne also nicht mehr die Gefahr einer kultischen Relevanz des solaren Symbols und einer Verquickung mit dem Herrscherkult des späten Römischen Imperiums in sich barg[13]. Man wird sogar vermuten dürfen, daß in der jüdischen Aufnahme der Darstellung des solaren Symbols gerade zu diesem Zeitpunkt eine bewußt antichristliche Spitze zu sehen ist, die damit gegenüber dem Christentum die Synagoge als den einen Ort der Verwirklichung universalen Heils schlechthin bekennt.

In seinem groß angelegten Werk über jüdische Symbole in der griechisch-römischen Zeit versucht E.R.Goodenough, das Phänomen hauptsäch-

Tiberias auf den Messiaskönig, eventuell gar auf Gott selbst, beziehen (aaO. 47ff.52.56), während er im Mosaik von Beth-Alpha eher eine Darstellung der Himmelsreise, des "erlösenden Aufstiegs" des Gläubigen, sieht (aaO. 44ff.56); dagegen vgl. Maier aaO. (Anm.4) 384, Anm.158; 396, Anm.236.

[10] Briefliche Anfrage von Prof.Dr.G.W.Locher (Köniz/Bern). Zum Kaiserkult als Loyalitätsreligion vgl. die diesbezügliche Kapitelüberschrift (XII.) bei Latte aaO. (Anm.5) 312: "Die Loyalitätsreligion der Kaiserzeit". Zur Befreiung des Judentums vom Kaiserkult vgl. u.a. E.M.Smallwood, The Jews under Roman Rule from Pompey to Diocletian. A Study in Political Relations, SJLA 20 (²1981) 147f.243f.379-384.539ff und passim.

[11] Vgl. Maier aaO. (Anm.4) 357; Urbach aaO. (Anm.8) 164.238ff.

[12] Vgl. dazu u.a. E.v.Borries, Art. Iulianus (Apostata), PRE X,1 26-91, bes. 47ff; J.Leipoldt, Iulianus in der Religionsgeschichte, SSAW 110,1 (1964); J.Straub, Die Himmelfahrt des Julianus Apostata, in: Wlosok aaO. (Anm.5) 528-550; verschiedene Beiträge in: R.Klein (Hg.) Julian Apostata, WdF 509 (1978); vgl. auch Latte aaO. (Anm.5) 367; Maier aaO. 382f (vgl. 358).

[13] Maier aaO. 383. Vgl. dazu u.a. J.Vogt, Die constantinische Frage, in: H.Kraft (Hg.), Konstantin der Große, WdF 131 (1974) 345-387, passim; I.Karayannopulos, Konstantin der Große und der Kaiserkult, in: Wlosok aaO. (Anm.5) 485-508; L.Koep, Die Konsekrationsmünzen Kaiser Konstantins und ihre religionspolitische Bedeutung, ebd. 509-527.

lich durch eine Synkretisierung des jüdischen Volksglaubens auf Grund
einer antik-heidnischen Faszination solarer und astraler Religion zu
erklären[14]. Er verweist dabei unter vielem anderem auf solare Symbole
auf jüdischen Amuletten wie auch auf jüdische Zaubersprüche und Gebete.
Unter ihnen erwähnt er ein Gebet einer jüdischen Frau, das mit den
Worten anhebt: 'Heil Helios, Heil, du Gott in den Himmeln, dein Name
ist allmächtig ...'[15], wie auch zwei kurze Zaubersprüche, die 'Helios
auf den Cherubim' anrufen[16].

Wir hätten es hier also mit einer Hellenisierung und Paganisierung
jüdischen Volksglaubens zu tun, einer Angleichung des Judentums an
oder gar einer Umwandlung in eine Astralreligion[17].

Doch wird man mit einer solchen Auskunft einer Paganisierung eines
nicht-rabbinischen Judentums vorsichtig sein müssen. Die Fakten sprechen
viel eher dafür, daß die jüdischen Gemeinden, insbesondere auch jene
von Tiberias[18], nicht irgend einem sektiererischen, sondern einem durchaus rabbinisch-orthodoxen Judentum zuzurechnen sind. M.Avi-Yonah hält
denn auch fest: "On constate avec surprise qu'à l'époque byzantine
l'art classique profane avait pénétré ... dans le milieu orthodoxe
juif"[19].

Hinweise auf offensichtliche solare Elemente im Glauben anderer,
nicht-offizieller jüdischer Gruppen der letzten vorchristlichen Jahrhun-
derte helfen hier nicht weiter und sind kaum Belege für Goodenoughs
Generalthese. Die durch die Qumrantexte bezeugten kultkalendarischen
Kontroversen, die Verfechtung eines solaren Kalenders in Qumran, im
Buch der Jubiläen und anderswo (vgl. äth.Henoch 72-75.78.82) mit der
Betonung der kosmischen Rolle der Sonne (vgl. Jub 2,8; 4,21), die Nach-
richt des Josephus, die Essener hätten ihr Morgengebet zur aufgehenden
Sonne gewandt gesprochen (De Bello Judaico II,128; vgl. 1QH 12,4),

---

[14] Goodenough aaO. (Anm.3) 167ff. Zu Goodenoughs Ansatz und Beurteilung
vgl. etwa Neusner aaO. (Anm.9), Part Three: Glosses on Goodenough's
Jewish Symbols, 193-215. Kritisch Urbach aaO. (Anm.8).150ff; vgl.
auch M.Smith, Goodenough's Jewish Symbols in Retrospect, JBL 86
(1967) 53-68.

[15] AaO. 172.

[16] Ebd.

[17] Vgl. aaO. 195 und passim.

[18] Vgl. Maier aaO. (Anm.4) 383; Urbach aaO. (Anm.8) 151.

[19] Avi-Yonah, aaO. (Anm.2) 396.

belegen nicht die These einer Anbetung der Sonne und ebensowenig jene
eines paganisierten, synkretistischen Judentums[20].

Die Frage ist vielmehr zu stellen: Ist nicht der Grund für die -
sicher durch die hellenistische Umwelt jener Zeit beeinflußte - Übernahme jenes so symbolträchtigen ikonographischen Motivs in die Synagoge,
unter Vermeidung jeglichen Mißverständnisses einer allfälligen, dem
Judentum nicht gemäßen Idolatrie, im Judentum und im Alten Testament
selbst zu suchen, in Entwicklungen und Tendenzen des Jahweglaubens
in seiner Geschichte?

II. Solarer Kult in Israel?

Nun ist über die Frage nach der Bedeutsamkeit des in der altorientalischen Umwelt Israels bekannten 'Sonnengottes' in der Religion Israels
und das Problem des solaren Charakters speziell des Jerusalemer Jahwe-
kultes bis heute kaum eine einhellige Meinung erreicht. Vor allem -
wenn auch nicht nur - im englischen Sprachbereich hat man seinerzeit, gestützt auf einige bestimmte Daten (wie zum Beispiel die Ost-West-Orientierung des Jerusalemer Tempels, die beiden Säulen am Tempeleingang, den
Tempelweihspruch 1Kön 8,12f und anderes mehr[21]) Belege für einen ausge-
bildeten Sonnenkult gesucht und finden zu können gemeint[22], und dies,

---

[20] Gegen Goodenough aaO. (Anm.3) 172; vgl. Maier aaO. 354. Zur Stelle
Bellum II,128 vgl. O.Michel und O.Bauernfeind, Flavius Josephus, De
bello Judaico. Der jüdische Krieg. Griechisch und Deutsch, Bd.I
(1959) 432f.

[21] So erklärte man etwa, um hier noch ein Beispiel zu nennen, das in
2Kön 23,11 im Zusammenhang der zur Ehre der Sonne aufgestellten Pfer-
de begegnende Hapaxlegomenon פרורים, das einen Anbau an der Westseite
des salomonischen Tempels bezeichnet, auf Grund der sprachlichen
Gleichsetzung mit פרבר in 1Chr 26,18 mit dem Namen der Sonnentempel
in Sippar und Larsa, Ebabbar (vgl.Th.Oestreicher, Das Deuteronomische
Grundgesetz, BFChTh 27,4 [1923] 54; H.Greßmann, Josia und das Deuteronomium, ZAW 42 [1924] 313-337, hier 323; vgl. dagegen KBL 776a s.v.
פרבר); A.S.Yahuda leitete es vom ägyptischen pr wr ab und deutete es
dementsprechend als tragbare 'Sonnenkapelle' (Hebrew Words of Egyptian Origin, JBL 66 [1947] 83-90, hier 88). Zur sprachlichen Herlei-
tung des jetzt auch in der Tempelrolle Kol. 35,10 belegten Wortes
פרור (Y.Yadin, The Temple Scroll [hebr., 1977] II,242, vgl. I,182;
vgl. Maier, Die Tempelrolle vom Toten Meer, UTB 829 [1978] 42.92)
vgl. jetzt auch HAL III 905b s.v. פרבר .

[22] Vgl. u.a. F.J.Hollis, The Sun Cult and the Temple at Jerusalem, in:

wie J.Maier in seiner Arbeit über 'Die Sonne im religiösen Denken des
antiken Judentums' zu Recht bemerkt, "gelegentlich in recht spekulati-
ver Weise"[23].

Ein Beispiel unter vielen anderen mag hier in aller Kürze zur Veran-
schaulichung dienen. Nach J.Morgenstern, der dem gleichen Problem eine
Reihe von Arbeiten gewidmet hat, hätte Salomo nach dem Vorbild des
Melkart-Tempels seines Freundes und Verbündeten, des Königs Hiram von
Tyrus, den Jerusalemer Tempel in der Ostorientierung als ein Sonnenhei-
ligtum so errichtet, daß an den beiden Tagen der Tag- und Nachtgleiche
die ersten Strahlen der aus der Unterwelt aufgehenden Morgensonne über
den Ölberg direkt in das neue Heiligtum schienen. Die alte israelitische
Religion mit teils nomadischem, teils kanaanäisch-bäuerlichem Charakter
wäre so in eine solare Religion umgewandelt worden, Jahwe, eindeutig
aus der Wüste stammend und einem nomadischen Gottestypus zuzuordnen,
eine echte solare Gottheit geworden: der Gott des Sonnenjahres, der
sterbende und in die Unterwelt steigende alte und am Neujahrstag wieder
verjüngt auferstehende, in seine Stadt und zu seinem Volk zurückkehrende
Gott. Der König hätte dabei im 'rituellen Drama' die Rolle des auferstan-
denen solaren Jahwe übernommen und gespielt[24].

Der Argumentationsgang Morgensterns, der recht schwierig zu verifizie-
ren ist, mutet dabei zum Teil recht phantasievoll, wenn nicht gar phanta-
stisch an[25]. Die ganze Beweisführung ist insgesamt recht vage und wenig
befriedigend, was sich ebenso häufig in recht vagen Wendungen und Formu-

S.H.Hooke (Ed.), Myth and Ritual (1933) 87-110; H.G.May, Some Aspects
of Solar Worship at Jerusalem, ZAW 55 (1937) 269-281; Th.H.Gaster,
Thespis. Ritual, Myth, and Drama in the Ancient Near East (1950, Neuaufl. 1977) 66f. Vgl. auch schon C.V.L.Charlier, Ein astronomischer
Beitrag zur Exegese des Alten Testaments, ZDMG 58 (1904) 386-394;
H.St.J.Thackeray, New Light on the Book of Jashar (A Study of 3Regn.
VIII 53[b] LXX), JThS 11 (1910) 518-532; C.F.Burney, The Book of Judges
(1918) 391-408; A.Frhr.v.Gall, Ein neues astronomisch zu erschließendes Datum der ältesten israelitischen Geschichte, in: Beiträge zur
alttestamentlichen Wissenschaft, FS K.Budde (Hg.K.Marti), BZAW 34
(1920) 52-60.

[23] Maier aaO. (Anm.4).351.

[24] Vgl. J.Morgenstern, The Gates of Righteousness, HUCA 6 (1929) 1-37;
The King-God among the Western Semites and the Meaning of Epiphanes,
VT 10 (1960) 138-197; The Fire upon the Altar (1963); The Cultic Set-
ting of the "Enthronement Psalms", HUCA 35 (1964) 1-42, je passim.

[25] Der Leser erfährt so u.a. beispielsweise, daß Davids Flucht vor dem
neuen König Absalom aus Jerusalem weg über das Kidrontal in Richtung
Osten, das Klagen des Volkes und andere Einzelheiten, wie sie in 2Sam

lierungen bei der Argumentation zeigt[26], bis hin zu dem Eingeständnis und der insgesamt doch recht enthüllenden Aussage: "Actually we have no record nor even any direct suggestion thereof in all of Biblical literature. But of course this is not at all surprising in view of the manner in which such ancient sources as did exist were worked over and purged as completely as possible of all traditionally non-Yahwistic facts and implications by early postexilic Deuteronomic historiographers piously conforming to reactionary religious standard and program"[27].

Es wundert deshalb nicht, wenn dieser sehr pointierten These eines solaren Jahwe-Kultes mit mehr oder weniger großer Distanz und Reserve begegnet wird, wobei kaum jemand solare Elemente überhaupt in Frage oder schlechterdings in Abrede stellt.

Freilich fehlt es auch in neuerer Zeit nicht an positiver Aufnahme der angedeuteten Sicht. In einer Arbeit über die Religion in Juda zur Zeit der Assyrer, deren meistens (zu) hoch veranschlagter religions-politischer Einfluß auf Juda hier - wohl zu Recht - stark in Frage gestellt wird, erwähnt J.W.McKay unter anderem auch den Sonnenkult, dessen tiefe Verwurzelung im frühen Israel er auf Grund der verschiede-nen zum Thema gemachten Studien als erwiesen erachtet. Zwar räumt er ein: "Some have been extravagant and others fairly cautious", fährt dann aber gleich fort: "but all have added weight to the general impres-sion that Israel did have a solar mythology and religion"[28]. So gilt für ihn: "Analysis of personal and place names, study of religious terminology, consideration of the orientation of the Temple, examination of Temple rituals, festivals and cultic apparatus, and the relating of archaeological finds to the information given in the Old Testament have all contributed to a total picture which supports the belief that

15,13ff erwähnt werden, nichts anderes als reguläre Teile des Klage-rituals der solaren Neujahrsfeier sind (The Cultic Setting, aaO. 15ff).

[26] Aus 'The King-God', aaO. (Anm.24) seien als Beispiele etwa genannt: "there is good reason for believing" (183.186); "it must have seemed" (182.184); "it is a reasonable assumption" (185); "it would follow al-most certainly that" (190); "so it may well be that" (190); "it seems to be" (191); "it makes it exceedingly probable" 194) u.a.m.

[27] AaO. 190.

[28] J.W.McKay, Religion in Judah under the Assyrians 732-609 BC. SBT 2.Ser. 26 (1973) 114, Anm. 78.

Sun-worship was deeply rooted in early Israel. The subject has been so well explored that there is little to be added here"[29].

Im allgemeinen ist man hier aber - im Vergleich etwa auch zu Erörterungen über das Problem eines 'Baalismus' im Jahweglauben - auffallend zurückhaltend und zögernd. So bemerkt F.Stolz in seiner Arbeit über 'Strukturen und Figuren im Kult von Jerusalem', der solare Charakter des Jerusalemer Kultes sei "stark überschätzt worden"[30]. H.Ringgren vermag in seiner 'Israelitischen Religion' höchstens "Spuren einer Sonnenverehrung im Alten Testament" zu erkennen[31]. Und N.M.Sarna hält in dem neulich erschienenen letzten Band der hebräischen Encyclopaedia Biblica fest, man könne sich dem Ergebnis nicht entziehen, "daß die Sonnenverehrung in Israel nicht verwurzelt war"[32]. Es ist denn auch bezeichnend, daß die 'Geschichte der israelitischen Religion' von G.Fohrer und die 'Theologie der Psalmen' von H.-J.Kraus in ihrem Sach- und Namenregister ein Stichwort 'Sonne' überhaupt nicht aufweisen[33]. Immerhin mag ein solcher Befund doch etwas erstaunen angesichts des Sachverhalts, daß Israel unter Völkern lebte, bei denen sowohl in Ägypten als auch im syrisch-mesopotamischen Raum die Gestirne, gerade nun auch die Sonne und ihr Kult, bekanntermaßen eine nicht unbedeutende Rolle spielten[34].

---

[29] Aao. 52.

[30] F.Stolz, Strukturen und Figuren im Kult von Jerusalem. Studien zur altorientalischen, vor- und frühisraelitischen Religion, BZAW 118 (1970) 219; vgl. ebd., Anm. 215: Šamaš wird in Jerusalem kaum eine gewichtigere Rolle gespielt haben als Šapš in Ugarit."

[31] H.Ringgren, Israelitische Religion, RM 26 (1963) 56.

[32] N.M.Sarna, Art. שמש , Encyclopaedia Biblica (EB[B], hebr.) VIII (1982) 182-189, hier 188.

[33] G.Fohrer, Geschichte der israelitischen Religion (1969), Register 403ff; H.-J.Kraus, Theologie der Psalmen, BK XV/3 (1979), Register 270ff.

[34] Belege erübrigen sich hier, auf die gängige religionsgeschichtliche Literatur braucht nicht explizit hingewiesen zu werden. Es sei in diesem Zusammenhang nur daran erinnert, daß es beinahe schon zur selbstverständlichen Allgemeinbildung gehört, daß Ps 104 "einem literarischen Vorbild folgt, das einem ägyptischen Sonnenhymnus entsprach" (Maier aaO. [Anm.4] 350 mit Literaturhinweisen); vgl. dazu u.a. H.-J. Kraus, Psalmen. 2.Teilbd. Ps 60-150, BK XV/2 ([5]1978) 876ff; O.H. Steck, Der Wein unter den Schöpfungsgaben. Überlegungen zu Psalm 104, TThZ 87 (1978) 173-191, jetzt in: ders., Wahrnehmungen Gottes im Alten Testament. Ges.Studien, TB 70 (1982) 240-261, hier besonders 244f mit Anm.9.

Was man an solaren Elementen zugesteht und akzeptiert, wird üblicher-
weise in der Sicht des Deuteronomiums und der deuteronomistischen Literatur und ihrer Kritik (vgl. Dtn 4,19; 17,3; Jer 8,2) als Fremdeinfluß
zur Zeit der assyrischen Oberhoheit im 8./7.Jh. und als Perversion
des echten Jahweglaubens erklärt. Als "wohl offizielle Kulte"[35] hätten
judäische Könige sie aus Rücksicht auf die fremden Herrschermächte
eingeführt[36]. Zu nennen wären hier die Rosse und Wagen für die Sonne,
die Josia nach 2Kön 23,11 entfernen ließ, weiter die einem Gestirn-
oder gar Sonnenkult dienenden Altäre auf dem Dach über dem Obergemach
des Ahas (V.12). Man wird hier auch die 'Sonnenuhr des Ahas' erwähnen
können, die kaum nur Zeitmesserfunktion hatte[37]. Schließlich weist
man auf den in Ez 8,16ff vom Propheten Ezechiel geschilderten und kriti-
sierten Tempelritus hin, wonach Männer im inneren Vorhof des Tempels
sich zur Sonne gewandt niedergeworfen und die זמורה, die 'Weinranke',
an ihre Nase[38] gehalten hätten.

Nach Fohrer war jene ganze Epoche die Zeit eines "religiösen Mischmasch", in dem "die Eigenart der Jahwereligion fast völlig zu ersticken

---

[35] Maier aaO. (Anm.4) 351.

[36] Zur Kritik der These einer auf Grund des Vasallitätsverhältnisses
und des politisch-religiösen Drucks erzwungenen Übernahme assyrischer
Gottheiten und Kulte vgl. McKay aaO. (Anm.28) passim, Conclusions
67ff; vgl. auch H.-D.Hoffmann, Reform und Reformen. Untersuchungen
zu einem Grundthema der deuteronomistischen Geschichtsschreibung,
AThANT 66 (1980) 268f mit Anm.24.

[37] Vgl. Jes 38,8; 2Kön 20,11. Zur Deutung der 'Treppe' als 'Sonnenuhr' vgl. Y.Yadin, "The Dial of Ahaz" (מעלות אחז), in: Eretz-Israel
5, FS B.Mazar (1958) 91-96 (engl. Zusammenfassung 88 f). Zurückhaltend H.Wildberger, Jesaja. 3.Teilbd. Jes 28-39, BK X/3 (1982) 1453;
vgl. auch BRL² 166. - In diesem Zusammenhang sind etwa auch die
schon seit Raschi als 'Sonnensäulen' gedeuteten חמנים (Lev 26,30;
Jes 17,8; 27,9; Ez 6,4.6; 2Chr 14,4; 34,4.7) genannt worden. Doch handelt es sich hier eher um 'Räucheraltäre' (so jetzt die Übersetzung
der Einheitsbibel; vgl. HAL I 315 s.v.; H.Wildberger, Jesaja. 2.Teil-
bd. Jes 13-27, BK X/2 [1978] 652f zu Jes 17,8, Literaturhinweise
633). Immerhin ist interessant, daß auf einer palmyrenischen Altar-
inschrift (CIS II 3978) der חמנא mit Šamaš in Verbindung gebracht
wird, insofern als dieser der solaren Gottheit errichtet und geweiht
wird (vgl. Wildberger aaO. 652).

[38] Häufig wird in V.17 statt אפם als ältere Textform אפי, 'meine Nase',
vorgeschlagen (vgl. u.a. BHS; G.Fohrer, Ezechiel, HAT 13 [1955]
51; W.Zimmerli, Ezechiel. 1.Teilbd. Ez 1-24, BK XIII/1 [1969] 195;
H.W.F.Saggs, The Branch to the Nose, JThS 11 [1960] 318-329, hier
318f); ein Grund für eine Textänderung liegt jedoch m.E. nicht vor
(vgl. Saggs ebd.).

(drohte)"[39].Nun entspricht diese Sicht aber im Grunde genommen der
späteren theologisch-historischen Sicht und Beurteilung der Deuterono-
mistik, die diese Zeit in der Tat in dieser Art darstellt und im 'Ketzer-
könig' Manasse den Höhepunkt der Greuel der Fremdkulte erreicht sieht,
während der 'Reformkönig' Josia jeglichen antijahwistischen synkretistischen Kult ausgemerzt hätte. Doch gibt diese Sicht wirklich die
historische Realität wieder? Man wird kultische Reformmaßnahmen zur
Zeit des Königs Josia nicht in Abrede stellen können. Schwierig auszuma-
chen ist aber, wie und in welchem Maße solche Reformen durchgeführt
worden sind, es sei denn, man erkläre die entsprechenden Texte in der
typischen deuteronomistischen generalisierenden Phraseologie als historische Berichte, was neuere Arbeiten als ein Fehlurteil ausgewiesen
haben[40]. Wie kommt es, so wird man unter anderem fragen müssen, daß
ausgerechnet aus der Zeit der beiden 'Reformkönige' Hiskia und Josia
Ende des 8. und 7.Jh. eine Menge königlicher Stempel bekannt sind[41],
die als Dekoration den vierflügligen Skarabäus und die Flügelsonne
zeigen, beide solare Symbole, deren zweites Schutzzeichen über der
Kartusche des Pharao war und so kosmische wie politische Bedeutung
hatte[42]? Nun meint zwar P.Welten in seiner Arbeit über die 'Königs-Stempel', diese Darstellungen seien ihres ursprünglichen solaren Sinns
entleert, sie würden mit der Aufschrift למלך, 'dem König gehörend',
einfach "eine Art Wappen oder Kennzeichen des Königshauses oder der
königlichen Verwaltung darstellen"[43]. Doch ist eine solche Interpreta-

---

[39] Fohrer aaO. (Anm. 33) 128; vgl. ders., Geschichte Israels. Von den
Anfängen bis zur Gegenwart, UTB 708 (1977) 166.

[40] Vgl. u.a. Hoffmann aaO. (Anm.36) passim, bes. 208ff; G.W.Ahlström,
Aspects of Syncretism in Israelite Religion, HSoed V (1963) 12.

[41] Vgl. P.Welten, Die Königs-Stempel. Ein Beitrag zur Militärpolitik
Judas unter Hiskia und Josia, ADPV (1969).

[42] Vgl. H.Bonnet, Reallexikon der ägyptischen Religionsgeschichte (RÄRG,
1952) 88-90; H.Kees, Der Götterglaube im Alten Ägypten (²1956) 418ff;
Welten aaO. 20 mit Anm.28.

[43] Welten aaO. 171, vgl. 30. Im Gegensatz zu Welten, ohne Bezugnahme
auf dessen Arbeit, nimmt A.D.Tushingham in seinem Aufsatz: A Royal
Israelite Seal (?) and the Royal Jar Handle Stamps (BASOR 200 [1970]
71-78. 201 [1971] 23-35) für Skarabäus und Flügelsonne josianische
Zeit an und deutet diesen als königliches Wappen Israels, jene als
solches von Juda: "the four-winged scarab was the royal device of
Israel, the winged sun-disk can best be interpreted as the royal
symbol of Judah and, by inference, the royal symbol of the United
Monarchy of David and Solomon" (aaO. 201, 33). Kritisch gegenüber

tation recht problematisch und geht von einer (zu modernen) Funktion des Bildes als bloßer Dekoration aus[44], als ob man in Israel kaum eine Ahnung vom solaren Symbolismus von Skarabäus und Flügelsonne gehabt hätte. Sollte aber in Jerusalem - wie anderswo - auch nur ein Rest der alten solaren Symbolik noch vorhanden und bekannt gewesen sein, dann verwendeten in der Tat die beiden Könige jene solaren Symbole für sich als Zeichen des Schutzes der sie tragenden göttlichen Macht (sc. Jahwe) und zugleich als Zeichen der ihnen selbst zukommenden kosmos- tragenden Funktion. Und dies widersprach offenbar dem Jahweglauben in keiner Weise, werden doch gerade Hiskia und Josia später als die Vorbilder herausgestellt, die als 'Reformkönige' sich in besonderer Weise um die Reinheit des Jahweglaubens verdient gemacht hatten, so daß es unter den Königen von Juda keine ihresgleichen gab (vgl. 2Kön 18,5).

Ein Weiteres kommt hinzu: Die Zeit jenes apostrophierten 'religiösen Mischmasch' ist, unter anderem, die Zeit des Propheten Jesaja, und man stellt mit Verwunderung fest, daß sich gegen all diesen Synkretismus bei ihm keine Kritik findet. Man wird ihn deswegen wohl kaum eines 'Krypto-Synkretismus' bezichtigen dürfen. Vielmehr wird man festhalten können und müssen, daß zumindest in der Sicht auch des Propheten Jesaja dies alles im Rahmen eines legitimen Jahweglaubens sich bewegte und diesem nicht zuwider war.

Die in Jes 3,18 neben anderen (Frauen-)Schmuckstücken direkt vor den 'Möndchen' (שׂהרנים) erwähnten שׁביסים, die traditionell mit 'Stirnbän- der' übersetzt werden[45], jedoch nach dem ugaritischen špš (= שׁמֶשׁ) und

der Deutung als Wappen äußert sich A.R.Millard und bemerkt: "Perhaps no more should be read into the four-winged scarab than an adaptation of the Egyptian symbol of renewal of life, hence 'good luck,' rela- ted, maybe, to the hopes of the Davidic dynasty. The winged disc should be seen as the Egyptian motif associated with the crown and Horus of Beḥaet, used throughout the Levant to link king and national god" (An Israelite Royal Seal?, BASOR 208 [1972] 5-9, hier 8).

[44] Zum gleichen Problem der 'bloßen Dekoration' in der antiken Synagogen- kunst siehe oben S.2 mit Anm. 8 und 9. - Von seinen Voraussetzungen aus versteht es sich, daß für McKay hinsichtlich der Siegel sich die Folgerung ergibt, daß "they are probably to be regarded only as further evidence of an indigenous Palestinian solar mythology" (aaO. [Anm.28] 53).

[45] Vgl. u.a. KBL 942a s.v.; G.Fohrer, Das Buch des Propheten Jesaja. 1.Bd. Kap. 1-23, ZBK (²1966) 66; neuerdings auch wieder O.Kaiser, Das Buch des Propheten Jesaja. Kap. 1-12, ATD 17 (⁵1981) 86.

der arabischen Gottheit Sabis als 'Sönnchen'(-anhänger, -amulette) zu deuten sind[46], können nicht als Gegenargument ins Feld geführt werden. Selbst wenn man für Jes 3,18-23 jesajanische Verfasserschaft annehmen dürfte, was aber seit B.Duhm[47] als sehr zweifelhaft, wenn nicht gar als ausgeschlossen angesehen wird, würde die Stelle Jesajas Vorwurf der Prunksucht und des Luxus der Frauen unterstreichen und verdeutlichen, aber nicht eine Stellungnahme des Propheten gegen einen falschen, synkretistischen (Sonnen-)Kult dokumentieren.

Tatsächlich findet sich dann eine deutliche Kritik eines 'Solarismus' beim Propheten Ezechiel (Ez 8,16-18), der nach Meinung vieler hier den Kult eines fremden, ägyptischen oder babylonischen Sonnengottes geißelt[48]. Mit W.Zimmerli wird man aber aus guten Gründen eher anzunehmen haben, "daß es durchaus möglich, ja wahrscheinlich (ist), daß diese Ritualelemente im Verständnis derer, die sie übten, nicht als Verrat am Jahweglauben, sondern als Elemente einer möglichen solaren Interpretation Jahwes verstanden worden sind"[49].

III. Autochthone solare Kulte in Israel

Damit sind wir von neuem mit der Frage nach der Rolle der Sonne in der israelitischen Religion selbst konfrontiert. Unbestritten ist, daß im kanaanäisch-vorisraelitischen Raum autochthone solare Kulte verbreitet waren. Ortsnamen mit einem entsprechenden Namenselement für 'Sonne', שֶׁמֶשׁ bzw. חֶרֶס [50], belegen dies deutlich. Zu nennen sind hier: Beth-Šämäš, 'Sitz des Sonnengottes'[51], in Juda westlich von Jerusa-

---

[46] Vgl. H.Wildberger, Jesaja. 1.Teilbd. Jes 1-12, BK X/1 (1972) 141 mit weiteren Literaturangaben; nach mündlicher Auskunft von Prof.Dr.J.J. Stamm (Wabern/Bern) künftig so auch HAL IV s.v.

[47] B.Duhm, Das Buch Jesaia ([5]1963) 50.

[48] Vgl. u.a. Fohrer, Ezechiel (Anm.38) 52; Zimmerli, Ezechiel (Anm.38) 221.

[49] Ebd.; vgl. auch M.Rose, Der Ausschließlichkeitsanspruch Jahwes, BWANT 106 (1975) 200ff.

[50] Nur H ˙,7; Ri 14,18, wobei hier häufig in חדר , 'Gemach' (vgl. Ri 15,1), konjiziert wird; vgl. HAL I 341; H.W.Hertzberg, Die Bücher Josua, Richter, Ruth, ATD 9 ([2]1959) 221 je z.St.

[51] Vgl. HAL I 124a.

lem[52], in Naphthali[53] und in Isaschar[54]; ᶜĒn-Šämäš, 'Sonnen-Quell', 5km östlich von Jerusalem[55], Har-Ḥäräs, 'Sonnen-Berg'[56]; Timnat-Ḥäräs, Grabstätte Josuas im westlichen Gebirge von Ephraim[57]; schließlich auch Maᶜᵃlê-Ḥäräs, 'Sonnensteig', bei Sukkot[58].

Als Beth-Šämäš (Jer 43,13) bzw. ᶜÎr-Ḥäräs (cj. Jes 19,18)[59] begegnet auch die im Alten Testament sonst nach dem Ägyptischen benannte Stadt On/Heliopolis, großes Zentrum des ägyptischen Sonnendienstes (Gen 41,45. 50; 64,20; cj. Ez 30,17 für אָוֶן[60]). Interessanterweise gibt dabei die LXX den Namen in Jes 19,18 als Πόλις - ασεδεκ (= עִיר הַצֶּדֶק), 'Stadt der Gerechtigkeit (bzw. des Ṣädäḳ)' wieder, mit dem gleichen Namen also, mit dem der Prophet Jesaja einmal die Stadt Jerusalem bezeichnet (Jes 1,26)[61].

[52] Vgl. Jos 15,10; 21,16; 1Sam 6,9ff; 1Kön 4,9; 2Kön 14,11ff; 1Chr 6,44; 2Chr 25,21ff; 28,18; nach Jos 19,41 ᶜÎr-Šämäš.

[53] Vgl. Jos 19,38; Ri 1,33.

[54] Vgl. Jos 19,22.

[55] Vgl. Jos 15,7; 18,17.

[56] Vgl. Ri 1,35. Nach BHH I 229 mit Beth-Šämäš identisch; kritisch EB(B) II 853, noch anders EB(B) VIII 603 (vgl. die folgende Anm.).

[57] Vgl. Ri 2,9 (= Jos 24,30, T.-Serach; vgl. Jos 19,50). Vgl. BHH III 1972; nach EB(B) VIII 602f lag Timna im Gebiet von Har-Ḥäräs, den Bergabhängen südwestlich des Gebirges Ephraim.

[58] Vgl. Ri 8,13; jüdische Auslegung hat den Begriff, wohl zu Unrecht, auch als 'Sonnenauf-' bzw. 'Sonnenuntergang' verstanden (vgl. Y.Kaufmann [קויפמן .י.], סֵפֶר שׁוֹפְטִים [1962] 186).

[59] Vgl. HAL I 246b s.v. הֶרֶס; Wildberger, Jesaja, BK X/2, 728f, Anm.c. z.St. (anders O.Kaiser, Der Prophet Jesaja. Kap. 13-39, ATD 18 [1973] 85), der nach der LXX liest). Auffallend ist hier die stark schwankende Textüberlieferung; nach Wildberger ist "der ganze Wirrwarr ... dadurch entstanden, daß man die Bezeichnung חרס für Sonne nicht mehr kannte und sich darum irgendwie behelfen mußte" (aaO.729). Es fragt sich aber, ob hier nicht vielmehr eine bewußte wortspielartige Veränderung in malam partem: עִיר הַהֶרֶס, 'Stadt der Zerstörung', vorgenommen worden ist; A.Dillmann/R.Kittel sprachen seinerzeit denn auch von einer "gehässigen Umbiegung" (Der Prophet Jesaja, KEH 5 [⁶1898] 178).

[60] Vgl. LXX; Zimmerli, Ezechiel. 2.Teilbd. Ez 25-48, BK XIII/2 (1969) 727 z.St.

[61] Wer geneigt ist, auch für Bethel Sonnenkult anzunehmen (vgl. May aaO. [Anm.22] 269; McKay aaO. [Anm.28] 102, Anm.63 mit Hinweis auf Hollis aaO. [Anm.22]), dem öffnen sich Tür und Tor für allerlei Spekulationen. So könnte man etwa fragen, ob der Ortsname Beth-'Awän, der als eigener Ort in Benjamin belegt ist - vgl. Jos 7,2; 18,12 (LXX Βαιθών);1Sam 13,5; 14,23; Hos 5,8? (vgl. W.Rudolph, Hosea, KAT XIII/1 [1966] 123; EB[B] II 54; anders H.W.Wolff, Dodekapropheton 1. Hosea, BK XIV/1 [1961] 143) - und der für die Hoseastellen 4,15; (5,8?) 10,5; (12,5 LXX) nach Am 5,5 als 'Schandname' ('Haus des Unheils') für Bethel erklärt wird (vgl. dazu die Kommentare; BHH I 227), eben

Es mag hier dahingestellt bleiben, ob der Name Simson, 'Sönnchen', lediglich "einfacher Zärtlichkeitsname" ist[62] oder ob hinter Simsongestalt und -geschichte, die geographisch in den Raum von Beth-Šämäš weist, ursprünglich ein Sonnenmythos stand[63] und etwa die Erzählung von den dreihundert Füchsen mit den brennenden Fackeln (Ri 15,1-6) "mit einem ähnlichen Brauch bei den römischen Cerialien zu vergleichen ist", der "gewöhnlich als ein Fortscheuchen der Sonnenglut erklärt (wird)"[64].

Für Jerusalem selbst wird man, ohne sogleich in den Verdacht der Übernahme gewagter Morgensternscher Spekulationen geraten zu müssen, zunächst folgendes festhalten können: Der salomonische Tempel ist mit

mit jenem für Sonnenkult bekannten On (so die Lesung der LXX [οἶκος] ᾽Ων) in Verbindung zu bringen ist; das Wortspiel mit און ,'Unheil, Frevel' (vgl. Ez 30,17) wäre dann in der Tat um so wirkungsvoller. Freilich würden wir uns mit solchen Vermutungen auf gefährliches, unsicheres Terrain begeben (vgl. auch Th.A.Busink, Der Tempel von Jerusalem von Salomo bis Herodes. Eine archäologisch-historische Studie unter Berücksichtigung des westsemitischen Tempelbaus. 1.Bd.: Der Tempel Salomos [1970] 653).

62 Vgl. J.J.Stamm, Zum Ursprung des Namens der Ammoniter, Archiv Orientální 17 (1949) 379-382 (jetzt abgedruckt in: ders., Beiträge zur hebräischen und altorientalischen Namenkunde [hg.v.E.Jenni und M.A. Klopfenstein], OBO 30 [1980] 5-8), hier 381 (= 7), Anm.10; vgl. ders., Der Name des Königs Salomo, ThZ 16 (1960) 285-297 (= aaO. 45-57), hier 293 (= 53). Vgl. auch M.Noth, Die israelitischen Personennamen im Rahmen der gemeinsemitischen Namengebung (1928, Nachdr. 1966) 223, der den Namen mit 'Sonne(nkind)' übersetzt. In diesem Zusammenhang ist auch der in Esr 4,8f.17.23 belegte Name שִׁמְשַׁי , 'meine kleine Sonne' (so mit Stamm, Der Name des Königs Salomo, aaO. 293 [= 53]) zu erwähnen. Aus שִׁמְשַׁי entstanden möchte neuerdings R.Degen auch die Namen שֵׁשַׁי (Esr 10,40) bzw. שֵׁשַׁי (Num 13,22; Jos 15,14; Ri 1,10; Cowley, APFC 49,1) erklären (Neue Fragmente aramäischer Papyri aus Elephantine II, NESE 3 [1978] 15-31, hier 18); Noth dagegen zählt sie zu den Kosenamen, "die so stark entstellt sind, daß die zugrundeliegenden Vollnamen nicht mehr ermittelt werden können" (aaO. 40f).

63 Vgl. Burney aaO. (Anm.22); ausführlich referierend Kaufmann aaO. (Anm.58) 243ff; Hertzberg aaO. (Anm.50) 229; Noth aaO. 223, Anm.4. Vgl. auch den in einem Vertrag in Elephantine (ca.455 v.Chr.) belegten Personennamen שמשנורר , 'Šämäš ist mein Licht' (Cowley, APFC 11,12), der hier neben einer Reihe von Jahwe-haltigen Namen begegnet (zu anderen שמש -haltigen Namen vgl. auch das Namenregister in P.Grelot, Documents Araméens d'Égypte, LAPO 5 [1972] 460ff passim); nach Noth (aaO. 168) tragen dabei die mit נורר zusammengesetzten Namen "samt und sonders nicht speziell israelitisches Gepräge". Zu Šamaš-haltigen Namen im Akkadischen vgl. J.J.Stamm, Die akkadische Namengebung (²1968), Verzeichnis 349f.359.

64 Ringgren, Israelitische Religion (Anm.31) 43; vgl. ders., in: H.Ringgren-O.Kaiser, Das Hohe Lied, Klagelieder, Das Buch Esther, ATD 16/2 (³1981) 266 zu Hhld 2,15. Dagegen u.a. H.Greßmann, Die Anfänge Israels (Von 2.Mose bis Richter und Ruth), SAT I,2 (²1922) 245.249; Kaufmann aaO. 243ff.256.

K.Rupprecht[65] eher als Übernahme eines jebusitischen Erbes für den Jahwekult denn als (Neu-)Gründung Salomos anzusehen (vgl. 2Sam 12,20, 15,25). Mit seiner Ost-West-Orientierung[66] weicht er auffallend von der bekannten, weitverbreiteten Nord-Süd-Orientierung spätbronzezeitlicher Tempel ab[67]. Zusammen mit dem vieldiskutierten Tempelweihspruch 1Kön 8,12[68], nach der LXX: "Jahwe hat die Sonne an den Himmel gesetzt,

[65] K.Rupprecht, Der Tempel von Jerusalem. Gründung Salomos oder jebusitisches Erbe?, BZAW 144 (1977). Die von Morgenstern vertretene These einer bewußten Neueinführung eines solaren Kultes ist damit schon in erheblichem Maße eingeschränkt.

[66] Vgl. die oben Anm.22 angeführte Literatur passim; BRL^2 338b.340a. Eine nur durch Terrainverhältnisse bedingte Ostorientierung nimmt dabei L.-H.Vincent an (Jérusalem de l'Ancien Testament II-III [1956] 430). Dagegen geht Busink, für den die Ostorientierung "ausser Zweifel" steht (aaO. [Anm.61] 252), davon aus, daß diese "aus religiös-symbolischen Motiven erfolgt sein (wird)" (aaO. 254). Auf Grund von Stellen wie 2Sam 15,30f und Ez 11,23; 1Kön 11,7f vermutet er, daß der "Ölberg ... offenbar auch für Salomo ein heiliger Berg (war)", und zieht daraus den Schluß, daß es "möglich und wohl auch wahrscheinlich sein (dürfte), dass das neue, für Jahwe auf der Burg Salomos zu errichtende Heiligtum, nach dem Ölberg orientiert wurde" (aaO. 256). Ursprünglich solare Zusammenhänge lehnt er freilich ab (aaO. 651ff). Auf der andern Seite erklärt schon B.Stade die Orientierung "wahrscheinlich aus Nachahmung eines Tempels einer Sonnengottheit" (Geschichte des Volkes Israel I [1887] 327); K.Galling nimmt Sonnenorientierung an (Tempel in Palästina, ZDPV 55 [1932] 245-250, hier 246), und E.Auerbach meint, der Tempel sei nach der Sonne als dem "Symbol göttlicher Macht" orientiert gewesen (Wüste und Gelobtes Land I [1932] 275). In jüngerer Zeit hat H.van Dyke Parunak wieder die Frage nach der Sonnenorientierung des Tempels gestellt (Was Solomon's Temple aligned to the Sun?, PEQ 110 [1978] 29-33). Auf Grund von astronomischen Berechnungen schließt er auf eine approximative Ost-West-Orientierung (vgl. auch Busink aaO. 652: "über die genaue Orientierung des Tempels tappen wir im Dunkeln; nur dass er nach O. orientiert war, steht fest"), jedoch hält er die von Morgenstern, May und anderen vertretene Annahme, die auch für V.Fritz "vorläufig der beste Erklärungsversuch" ist (Tempel und Zelt. Studien zum Tempelbau in Israel und zu dem Zeltheiligtum der Priesterschrift, WMANT 47 [1977] 68), für "most unlikely that at one of the solarly significant days of the year, direct sunlight penetrated to the Holy of Holies at any time during the day" (aaO. 33). - Fragezeichen hinter eine Ost-West-Orientierung setzt dagegen L.A.Snijders (L'orientation du Temple de Jérusalem, OTS 14 [1965] 214-234).

[67] Zu spätbronzezeitlichen Tempeln mit Nord-Süd-Orientierung vgl. u.a. O.Keel, Die Welt der altorientalischen Bildsymbolik und das Alte Testament. Am Beispiel der Psalmen (^{2}1977) Abb.178 (Busink Abb.133; BRL^2 335,10), 208 (Busink Abb.100; BRL^2 338,24). 208a (Busink Abb. 103.105; BRL^2 335,9). 215 (Busink Abb.99; BRL^2 338,20). 216a (Busink Abb.108.112; BRL^2 335,7); vgl. weiter BRL^2 338,17. 339.28.

[68] Zur Stelle vgl. A.van den Born, Zum Tempelweihespruch (1Kg VIII 12f.) OTS 14 (1965) 235-244, der freilich starke Eingriffe in den Text vor-

er selbst hat erklärt, im Dunkel wohnen zu wollen"[69], scheint er in
der Tat Indiz für solare Kultelemente in Jerusalem, wenn nicht gar
für "die Ablösung eines alten Sonnenkults durch den Jahwekult"[70] zu
sein.

Ein Beispiel der Übernahme und Ablösung eines Sonnenkultortes durch
Jahwe wird man in dem als "Kultgründungslegende"[71] zu verstehenden
Bericht von der Überbringung der Jahwe-Lade aus dem Philisterland nach
Beth-Šämäš (1Sam 6,7ff) erkennen können. Die Leute des Ortes, so wird
berichtet, hätten sich beim Anblick der Lade gefreut, ihr kultisch
ihre Verehrung bezeugt und Jahwe am heiligen Ort eines großen Steins
ihre Opfer dargebracht (V.13f). Die Fortsetzung (V.19ff) berichtet
dann freilich vom Gericht Jahwes über die Leute von Beth-Šämäš, weil
sie die Jahwe-Lade mit Geringschätzung angesehen hätten (ב ראה)[72],
von deren Schuldbekenntnis gegenüber Jahwes Anspruch (vgl. Ps 130,3)
und dem impliziten, indirekten Lob gegenüber dem 'heiligen Gott'. Ver-

nimmt mit dem problematischen Versuch, hier das Bruchstück eines
Weltschöpfungsepos zu sehen. Von vorisraelitisch-kanaanäischer reli-
giöser Poesie beeinflußt erklärt O.Loretz den Spruch (Der Torso
eines kanaanäisch-israelitischen Tempelweihspruchs in 1Kg 8,12-13,
UF 6 [1974] 478-480) und lehnt Beziehungen zu ägyptischen Texten,
wie M.Görg sie meint feststellen zu können (Die Gattung des sogenannten Tempelweihspruchs [1Kg 8,12f] ebd. 55-63), als hypothetisch
ab (aaO. 479).

[69] Übersetzung (mit Ergänzung des masoretischen Textes nach LXX) mit
Stolz aaO. (Anm.30) 167; vgl. M.Noth, Könige. 1.Teilbd., BK X/1
[1968] 168.172. Offensichtlich aus dogmatischen Bedenken ist in
MT die Erwähnung der Sonne eliminiert worden (vgl. van den Born aaO.
244; Noth aaO. 172; E.Würthwein, Das Erste Buch der Könige. Kap.
1-16, ATD 11,1 [1977] 85, Anm.12).

[70] O.Keel, Wer zerstörte Sodom?, ThZ 35 (1979) 10-17, hier 17. - Im Hinblick auf Ps 19 nimmt Stolz an, daß im Tempelweihspruch "offensichtlich El durch Jahwe ersetzt (ist)" (aaO. 168); anders J.Maier, nach
dem 1Kön 8,12 gerade "ausdrücklich von 'Baal' sprach" (Vom Kultus
zur Gnosis, Studien zur Vor- und Frühgeschichte der "jüdischen Gnosis". Bundeslade, Gottesthron und Märkabah, Kairos St 1 [1964] 105).

[71] H.J.Stoebe, Das erste Buch Samuelis, KAT VIII/1 (1973) 152.

[72] So mit F.Stolz, Das erste und zweite Buch Samuel, ZBK AT 9 (1981) 48.
51 z.St. Anders u.a. Stoebe, nach dem es um ein bloßes (wertfreies)
Ansehen der Lade geht, da mit ראה "weder die Bedeutung des Abschät-
zigen noch der Neugierde ... verbunden" sei (aaO. 149). Vgl. jedoch
etwa Hi 41,26; Hhld 1,6 (GB 735a: "vom verächtlichen Herabsehen");
negativ auch Ps 22,18 u.a. Zur Textüberlieferung von V.19 und zu
verschiedenen Rekonstruktionsversuchen vgl. Stoebe aaO. 149; eine Änderung von MT empfiehlt sich aber nicht (gegen H.W.Hertzberg, Die
Samuelbücher, ATD 10 [²1960] 42 und andere).

schiedene ältere Kommentare sehen darin die Erinnerung an die Opposition bestimmter Leute - nach der Version der LXX nur einer Familie, der Söhne Jechonjas - gegen den neuen Jahwekult und das Festhalten am überlieferten Sonnenkult von Beth-Šämäš[73], während neuere Kommentare darin keine organische Fortsetzung zum Vorangehenden, sondern eher "eine eigene, unabhängige Überlieferung"[74] von den Ereignissen um die Lade erkennen möchten[75]. Wie dem im einzelnen auch sei, deutlich wird jedenfalls - und dies ist für unseren Zusammenhang von Belang - daß nunmehr am Schluß die Anerkennung des einen 'heiligen Gottes', wie man ihn vor allem im Jerusalemer Kult bekennt[76], am alten Sonnenkultort Beth-Šämäš durchleuchtet.

IV. Subordination der Sonne unter Jahwe

Die Auseinandersetzung um Rolle und Wertung der kosmischen Macht 'Sonne' gegenüber Jahwe wird mit der Übernahme autochthoner Kultorte durch Israel mit Notwendigkeit gegeben gewesen sein, und im Lauf der Geschichte war und wurde sie mit ein "Teil des Kampfes, der zur Durchsetzung des Glaubens an den Gott Israels als einzigen Gott und Schöpfer geführt hat"[77].Wie stellt sich diese Auseinandersetzung 'Jahwe - Sonne' dar?

Zunächst - und damit soll hier eingesetzt werden - zeigen viele biblische Stellen eine klare Subordination der Sonne unter Jahwe, eine Subordination, die offenbar schon recht früh einsetzte (vgl. Ps 19,5). Er hat ihr ihren Ort zugewiesen, sie allerdings zugleich in besonderer Weise - sicher in der Aufnahme und im Nachwirken altorientalischer Tradition[78] - mit einem bestimmten (eingeschränkten) Maß an Macht ausgestattet, nämlich 'zur Herrschaft über den Tag', לממשלת היום (vgl. Gen 1,14ff; Jer 31,35f; Ps 19,5; 74,16; 136,7ff). Damit verbunden ist die

---

[73] Vgl. H.Greßmann, Die älteste Geschichtsschreibung und Prophetie Israels (von Samuel bis Amos und Hosea), SAT II,1 (^{2}1921) 19; ähnlich K.Budde, Die Bücher Samuel, KHC VIII (1902) 46. Vgl. auch Hertzberg aaO. 46 (jedoch ohne Bezugnahme auf Sonnenkult).

[74] Stoebe aaO. (Anm.71) 153.

[75] Vgl. auch Stolz aaO. (Anm.72) 49.51.

[76] Vgl. Stolz aaO. 51f; Maier aaO. (Anm.70) 48f; W.H.Schmidt, Wo hat die Aussage: Jahwe "der Heilige" ihren Ursprung?, ZAW 74 (1962) 62-66; H.-P.Müller, Art. קדש qdš heilig, THAT II 589-609 passim.

[77] Maier, Die Sonne ... (Anm.4) 352.

[78] Vgl. etwa W.H.Schmidt, Die Schöpfungsgeschichte der Priesterschrift.

wichtige, der Sonne zugeschriebene kosmische wie kultische Ordnungsfunk-
tion. Sie gehört nach Jer 31,36 (vgl. Jer 33,25) zu den 'unabänderlichen
Gesetzen' (החקים), die vor Jahwe nie ins Wanken geraten werden (לא
ימשו מלפני) - eine dauernde Ordnung, von der Israel selber betroffen,
in die es selber mit hineingenommen ist; in ihm leuchtet diese Ordnung
auf, es wird ebenso selber nie aufhören, als Volk vor Gott zu existie-
ren. Die kosmische, weltumspannende Universalität der Sonne kommt dabei
deutlich zur Sprache, wenn u.a. Ps 19 festhält (V.7), daß auf ihrer
Bahn 'nichts vor ihrer Glut verborgen bleibt' (אין נסתר מחמתו).

Noch einmal ist hier aber zu unterstreichen, daß es bei aller 'Herrschaft' der Sonne um eine abgeleitete, delegierte geht, daß - wie dies
auch in diesem Zusammenhang verwendete, Jahwe als Subjekt und die Sonne
als Objekt aufweisende Verben zeigen[79] - deren Unterordnung unter Jahwe
deutlich zum Ausdruck gebracht wird[80]. Sehr pointiert und drastisch
demonstriert wird dies etwa in einer Aussage wie Hi 9,7: 'der der Sonne
befiehlt, daß sie - unter Aufhebung der kosmischen Ordnung! - nicht
aufstrahlt"[81] (האמר לחרס ולא יזרח [82]), im Stillstand von Sonne und Mond
bei der Schlacht von Gibeon (Jos 10,12)[83] wie auch im legitimierenden
Jahwezeichen an der 'Sonnenuhr des Ahas' (Jes 38,8; 2Kön 20,11).

Implizit ist damit natürlich zugleich ein Nein gegen jegliche Tendenz
zur kultischen Verehrung der Sonne ausgesprochen, ein Nein, das sich
im Deuteronomium (Dtn 4,19; 17,3-5; vgl. dtr. Jer 8,2; 2Kön 23,5)[84]

Zur Überlieferungsgeschichte von Genesis 1,1-2,4a und 2,4b-3,24,
WMANT 17 (²1967) 111ff; C.Westermann, Genesis. 1.Teilbd. Gen 1-11,
BK I/1 (1974) 176ff passim.

[79] Vgl. etwa עשה (Ps 136,7ff; Gen 1,16); נתן (Gen 1,17; Jer 31,35); כון
hi. (Ps 74,16); שים (Ps 19,5); שוב hi. (Jes 38,8; 2Kön 20,11).

[80] Vgl. auch Ps 89,37b, wo in der Aussage über den ewigen Bestand des
Thrones des Königs (vgl. V.30): וכסאו כשמש נגדי nach dem Verständnis
der Masoreten, wie es die Akzentsetzung verdeutlicht, die beiden
letzten Wörter ('wie die Sonne vor mir') eng zusammengehören.

[81] Übersetzung mit F.Hesse, Hiob, ZBK AT 14 (1978) 78.

[82] Zur Anreihung eines negativen Finalsatzes mit ולא vgl. GK §165a.

[83] Vgl. dazu J.Dus mit dem z.T. fragwürdigen Versuch der Rekonstruktion
eines Kults des Gottes Šmš als Schutzgott von Gibeon, der - wie der
Mond, Jrḥ, der lunaren Kultstätte von Ajjalon - auf Grund der Verwün-
schung von Jos 10,12 (so die Interpretation von דמם) seinen Verehrern
kein günstiges Orakel mehr zu geben imstande sei (Gibeon - eine Kultstätte des Šmš und die Stadt des benjaminitischen Schicksals, VT 10
[1960] 353-374, passim).

[84] Vgl. dazu auch Hoffmann aaO. (Anm.36) 360f.

expressis verbis in der Ablehnung des gesamten Gestirnkultes als תועבה, 'Greuel' (Dtn 17,5), dokumentiert.

Einen gewissen Endpunkt in der Auseinandersetzung mit der Sonne, deren Subordination und Entmythisierung stellt bekanntlich der relativ junge, theologisch durchreflektierte priesterschriftliche Schöpfungsbericht (Gen 1,14ff) dar. Die Sonne - wie auch der Mond - ist nunmehr gegenüber jeder anderen Wertung der Gestirne in der altorientalischen Umwelt zur zweifelsohne wichtigen positiven Funktion der Herrschaft über den Tag wie für die Festlegung der kultischen Zeiten und Ordnungen bestimmt[85], doch zugleich ist ihr Name ersetzt, sie ist zum bloßen 'Leuchtkörper', zur 'Lampe' (מאור, vgl. Ex 25,6; 27,20) degradiert[86].

Der eben beschriebenen Unterordnung entspricht nun auf der anderen Seite das Lob und die Verherrlichung Jahwes als des Schöpfers durch die kosmischen Mächte, gerade auch durch die Sonne. In eindrücklicher Weise macht dies schon Ps 19A (V.2-7), der "alle Kennzeichen eines hohen Alters trägt"[87], deutlich[88]. In diesem Psalm, nach O.H.Steck "insgesamt ein Sonnentext"[89], ist die "Zielaussage des Textes ... nicht

---

[85] Anders später Sir 43,1-12, wo die Funktion der Zeitbestimmung ausschließlich dem Mond vorbehalten wird (V.6-8, vgl. Ps 104,19). Vgl. in diesem Zusammenhang D.Lührmann, Tage, Monate, Jahreszeiten, Jahre (Gal 4,10), in: Werden und Wirken des Alten Testaments. FS C.Westermann (1980) 428-445, passim.

[86] So mit Schmidt aaO. (Anm.78) 119. Von einer Reduktion auf eine funktionale Existenz spricht O.H.Steck, Der Schöpfungsbericht der Priesterschrift. Studien zur literarkritischen und überlieferungsgeschichtlichen Problematik von Genesis 1,1-2,4a, FRLANT 115 (1975) 95ff, hier 101; ähnlich auch Westermann aaO. (Anm.78) 179, der sich freilich gegen den Begriff der 'Degradierung' als ein Karikieren des Sachverhalts wendet (ebd.).

[87] H.-J.Kraus, Psalmen. 1.Teilbd. Ps 1-59, BK XV/1 (^{5}1978) 299.

[88] Neben den Kommentaren vgl. dazu besonders O.H.Steck, Bemerkungen zur thematischen Einheit von Ps 19,2-7, in: FS Westermann aaO. (Anm.85) 318-324 (jetzt auch in: ders., Wahrnehmungen Gottes im Alten Testament [Anm.34] 232-239).

[89] AaO. 323 (= 238). Gegen eine 'thematische Einheit' (vgl. den Titel der Arbeit von Steck) sieht C.Westermann in V.2-7 neuerdings wieder ein Fragment: Es fehlten im Lob des Schöpfers (V.2) eine Einleitung und ein Schluß; es seien nur Himmel und Erde genannt, was fragmentarisch klinge, nicht motiviert sei und nicht dem sonstigen Lob des Schöpfers in den Psalmen entspreche. So liege hier "wohl nur ein kleiner Ausschnitt eines großen, uns verlorenen Schöpfungspsalms vor" (Ausgewählte Psalmen [1984] 178f, Zitat 179; vgl. u.a. schon J.Olshausen, Die Psalmen, KEH 14 [1853] 111f; F.Baethgen, Die Psalmen, HK II,2 [^{3}1904] 55). In der Tat weist Ps 19A gegenüber den sonstigen Hym-

die Sonne, schon gar nicht als göttliches Wesen"[90]. Diese ist (vgl.
V.2) das 'Werk seiner Hände', und in ihr (es ist auch hier wieder die
Unterordnung zu beachten), ihrem Tag- und Nachtlauf und ihrer unwider-
stehlichen Glut (V.6f) ist die 'Herrlichkeit', der כבוד Els[91] - und
sicher israelitisiert nunmehr: Jahwes - manifestiert (V.2). Der himm-
lische Raum und die Himmelfeste (רקיע) 'erzählen' (ספר) und 'künden'
(נגד) davon[92] - "ein einzigartiges, analogieloses Verkündigen ...,
das hoch über dem Menschen steht"[93] und bis ans Ende der Welt dringt
(V.4f). Im nachexilischen Ps 148 wird dann die Sonne selber mit dem
gesamten Bestand der geschaffenen Welt "in den Lobpreis des Gottes Israels hineingerufen und hineingestellt"[94] als Antwort auf ihr 'Geschaf-
fensein'[95]: 'Lobet ihn, Sonne und Mond, lobet ihn alle leuchtenden
Sterne! ... Sie sollen loben den Namen Jahwes, denn er gebot - da wurden
sie geschaffen!'[96] (V.3ff).

Im Zusammenhang von Ps 19 wird man wohl schon eine vorisraelitisch-
kanaanäische Tradition der Unterordnung der Sonne (von Šamaš) unter
El zumindest erwägen, wenn nicht sogar annehmen können[97]. Die Frage
ist dann auch zu stellen, ob eventuell und, wenn ja, inwieweit El selber
schon bestimmte solare Züge angenommen hat oder gar zu einer solaren
Gottheit geworden ist. Im einzelnen kann hier dem nicht nachgegangen
werden; mit ein paar Hinweisen, die allerdings von vorschnellen Schlüs-
sen und Hypothesen abraten, mag es sein Bewenden haben.

nen "völlig singuläre Formen" auf (F.Crüsemann, Studien zur Formge-
schichte von Hymnus und Danklied in Israel, WMANT 32 [1969] 306,
Anm.1), so daß deshalb nach Kraus "nur 'im weiteren Sinn' von einem
Loblied die Rede sein kann" (aaO. 46, vgl. 299). Ein hinreichender
Grund für die Annahme eines bloßen Fragments liegt jedoch nicht vor,
wie die Darlegungen von Steck (aaO.) nachhaltig zeigen.

[90] Steck aaO. 323 (= 238).

[91] Gegen Kraus (aaO. 297, vgl. 300) und Westermann (aaO. 178), die hier
mit 'Gott' übersetzen, wird man in אל ursprünglich den kanaanäischen
Gott El zu sehen haben; vgl. Steck aaO. 323 (= 238), Stolz aaO. (Anm.
30) 167f.

[92] Auf Grund der in V.2-5 begegnenden Ausdrücke möchte dabei Steck die
ausgehende Kunde vom Kabod Els eher als "weisheitliches Lehrgesche-
hen" auffassen, das "allenfalls Teil eines Lobgeschehens" ist (aaO.
324 [= 239]).

[93] Kraus aaO. 302.

[94] Kraus, Psalmen, BK XV/2 (Anm.34) 1142.

[95] Westermann aaO. (Anm.89) 182.

[96] Übersetzung nach Kraus aaO. 1140.

[97] Vgl. oben Anm.70 den Hinweis auf Stolz, Strukturen und Figuren (Anm.
30) 168.

Die seinerzeit von R.Dussaud vertretene These, das El-Epitheton 'ab šnm zeige diesen in seiner Funktion als solare Gottheit[98], ist kaum als sachgemäße Interpretation zu akzeptieren[99]. Sollte die 1936 in Ugarit gefundene Steinstele, die einen thronenden bärtigen Gott mit Hörnerkrone, vor ihm stehend einen ihm opfernden König und über beiden Figuren schwebend die geflügelte Sonne darstellt[100], in der Tat, wie oft gedeutet wird, den Gott El zeigen, dann hätte man hier für das 13.Jh. einen Beleg zumindest für einen Zusammenhang des solaren Emblems mit diesem Gott. Doch läßt sich die Identifizierung nicht mit Sicherheit erweisen[101]. H.Gese formuliert denn in 'Die Religionen Altsyriens' auch vorsichtig und versieht die Legende zur Abbildung mit einem Fragezeichen[102]. A.D.Tushingham geht deshalb zu weit, wenn er behauptet: "That the winged sun-disk is a symbol of El is evident from the stela dedicated to that god"[103]. Ebenso ist es zweifelhaft, ob, wie Y.Yadin meint annehmen zu können, auf den Inschriften des 9. und 8.Jh. aus Sam'al-Zinjirli (vgl. KAI 24; 216; 217), in denen eine Reihe von Göttersymbolen auftritt, die im Mittelteil begegnenden Symbole 'Pferdejoch' und 'Flügelsonne' in ihrer Kombination den Dynastiegott Rakib'el meinen, letztere also (wieder) Symbol für El ist[104]. Vielmehr werden, wie KAI 215 und 214 deutlich erkennen lassen, Rakib'el und der Sonnengott Šamaš, die - wie übrigens auch die Götter Hadad und El - hier in Paarbildung genannt werden (Z.22 bzw. Z.2f), den beiden Symbolen entsprechen, wobei "der spezielle Wettergottaspekt des Wagenfahrers, zusammen mit der Sonne genannt, auf eine Solarisierung weisen (könnte), die ohnehin dem Dynastiegott wohl ansteht"[105]. Man wird deshalb auch Tushingham nicht ohne weiteres zustimmen können, der, im Anschluß an Yadin, die Flügelsonne von Zinjirli in eben jener El-Deutung als Prototypen für

[98] R.Dussaud, La mythologie phénicienne d'après les tablettes de Ras Shamra, RHR 104 (1931) 353-408, hier 358ff.

[99] Zu dem vieldiskutierten Titel vgl. etwa J.Gray, The Legacy of Canaan. The Ras Shamra Texts and their Relevance to the Old Testament, VT.S 5 (1957) 116f; H.Gese, in: ders., M.Höfner, K.Rudolph, Die Religionen Altsyriens, Altarabiens und der Mandäer, RM 10,2 (1970) 97f. 103; A.Caquot, M.Sznycer, A.Herdner, Textes Ougaritiques. Tome 1: Mythes et Légendes, LAPO 7 (1974) 59f.

[100] Vgl. C.F.A.Schaeffer, The Cuneiform Texts of Ras Shamra - Ugarit. Schweich Lectures 1936 (1939) Pl.XXXI, vgl. 61f; ANEP Nr.493 (mit Literaturangaben aaO. 307).

[101] Vgl. ANEP 307: "These identifications are only conjectural."

[102] Gese aaO. 100; Abb. Nr.3, aaO. 99.

[103] Tushingham, A Royal Israelite Seal, BASOR 201 (Anm.43) 32f, Anm.87.

[104] Y.Yadin, Symbols of Deities at Zinjirli, Carthage and Hazor, in: J.A.Sanders (Ed.), Near Eastern Archaeology in the Twentieth Century. Essays in Honour of N.Glueck (1970) 199-231 (hebr. in: Yediot 31 [1967] 29-63], passim, besonders 203.207.209.212. Abbildungen zu KAI 24: Yadin aaO. Pl.17; G.R.Meyer, Altorientalische Denkmäler im Vorderasiatischen Museum zu Berlin (1965) Abb.78.79; zu KAI 216: ANEP Nr.281; zu KAI 217: KAI III, Taf.XII.

[105] Gese aaO. 217. Zur Identifizierung der verschiedenen Göttersymbole vgl. auch H.Donner, in: KAI II 232 zu Nr.216 und 234 zu Nr.217.

die Flügelsonne auf den judäischen Königsstempeln[106] erklärt, die nun
hier - in der Ablösung Els durch Jahwe - Symbol für Jahwe, Israels
höchsten Gott, geworden wäre[107]. Eine Analogie zu Zinjirli, wenn man
eine solche sehen möchte, wäre dann eher in der Richtung der von Gese
erwogenen Solarisierung des Dynastiegottes zu suchen.

Von dezidierten Vertretern eines Sonnenkultes ist schließlich auch
die Meinung vertreten worden, El-ᶜEljon als Gott des jebusitischen
Jerusalem sei ein Sonnengott gewesen, und Jahwe habe von dieser vorisraelitischen Sonnenmythologie viel übernommen. Doch ist H.Ringgren
zuzustimmen, wenn er dazu bemerkt: "Irgendwelche stichhaltigen Belege
für diese Behauptung gibt es jedoch nicht, und die mehr indirekten
Indizien, die dafür angeführt worden sind, kann man kaum überzeugend
nennen[108].

Es entspricht schließlich ebenso jener Sicht einer Unterordnung,
wenn verschiedenenorts im Hinblick auf eine erhoffte, zukünftige Manifestation von Gottes Macht so geredet wird, daß diese (vor allem) in
einer sichtbaren Veränderung der Sonne wie der anderen Gestirne erfolgen
wird[109]. So werden (vgl. Jes 24,23) Sonne und Mond als offenbar "ver-
meintliche Herrscher über die Geschichte der Völker und das Schick-
sal der einzelnen" in ihrer eigenen Nichtigkeit entlarvt und offenbar
werden (vgl. die Verben בושׁ und חפר)[110]. Im Gericht verfinstert sich
die Sonne bzw. strahlt nicht mehr (Jes 13,10; Jo 2,10; 3,4; 4,15; vgl.
AssMos 10,5), geht zu Unzeiten, am Mittag, unter (Am 8,9; Mi 3,6)[111].In
der Heilszeit wird gemäß der einen Anschauung ihre Leuchtkraft geste-
gert (Jes 30,26; vgl. Jub 1,29; 19,25; Hen 91,16), gemäß der anderen
wird sie (mit den anderen Gestirnen) überhaupt überflüssig werden,

---

[106] Vgl. oben S.10f mit Anm.43.

[107] Tushingham aaO. 32f, Anm.87.

[108] H.Ringgren, Die Religionen des Alten Orients, GAT Sonderbd. (1979)
204. Zur solaren Deutung von El-ᶜEljon vgl. etwa A.R.Johnson, The
Role of the King in the Jerusalem Cultus, in: S.H.Hooke (Ed.), The
Labyrinth. Further Studies in the Relation between Myth and Ritual
in the Ancient World (1935) 71-111, hier 81ff.

[109] Vgl. Maier, Die Sonne (Anm.4) 355.

[110] Vgl. Wildberger, Jesaja, BK X/2 (Anm.37) 947 mit Zitat; vgl. auch
M.A.Klopfenstein, Scham und Schande nach dem Alten Testament. Eine
begriffsgeschichtliche Untersuchung zu den hebräischen Wurzeln bôš,
klm und ḥpr, AThANT 62 (1972) 82. Anders Kaiser, Jesaja, ATD 18
(Anm.59) 158 z.St.

[111] Vgl. dazu auch J.Jeremias, Theophanie. Die Geschichte einer alttesta-
mentlichen Gattung, WMANT 10 (²1977) 98, wonach die Aussage, daß die
Gestirne beim Kommen Jahwes ihr Licht versagen, "unzweifelhaft" dem
Vorstellungskreis des 'Tages Jahwes' entstammt.

"weil Gott dann selbst ununterbrochen die Welt und zumal die heilige Stadt erleuchtet"[112] (Jes 60,19f; vgl. Apk 21,23ff; 22,5)[113].

V. Solare Wendungen

In den Zusammenhang der unter Aufgabe jeder religiös-mythischen Deutung gegebenen Unterordnung der Sonne wie der anderen Gestirne, in der diese "nur als in der Welt vorfindliche Größen, rein 'weltlich' betrachtet (werden)"[114], gehören nun auch jene alttestamentlichen Belege, welche die Sonne in der Funktion als 'Zeitbestimmer'[115] zeigen. Häufig findet sich die Bemerkung, dieses oder jenes spiele sich 'bei Sonnenaufgang', 'bei der Hitze der Sonne', 'bei Sonnenuntergang' ab. Daneben ist jene Ausdrucksweise hinlänglich bekannt, bei der mit 'Sonnenauf-' und 'Sonnenuntergang' lediglich die geographische Bezeichnung der Himmelsrichtung Osten und Westen bzw. in der Benennung der beiden Himmelsrichtungen als Opposita im Merismus "die Gesamtheit des geographischen Gesichtskreises"[116] gemeint ist[117].

Was nun freilich die erstgenannte 'Zeitbestimmer'-Funktion betrifft, so fällt bei genauerem Lesen verschiedener Stellen auf, daß es sich bei den in dem jeweiligen Zusammenhang erwähnten Begebenheiten und Handlungen fast durchwegs um entscheidende, in das Leben von Menschen - sowohl von einzelnen wie auch einer Gemeinschaft - tief eingreifende Ereignisse handelt, die für diese zum Guten oder Schlechten sich wenden; es wird darauf nochmals zurückzukommen sein[118].

Weiter ist hier das Vorkommen der Sonne in zwei Wendungen zu nennen, die den engen Zusammenhang von Sonne und 'Leben' aufweisen und deutlich machen.

---

[112] Kaiser, Jesaja, ATD 18 (Anm.59) 241.

[113] Zu den unterschiedlichen Anschauungen vgl. auch P.Volz, Die Eschatologie der jüdischen Gemeinde im neutestamentlichen Zeitalter (1934, Nachdruck 1966) 340.

[114] Schmidt, Schöpfungsgeschichte (Anm.78) 120.

[115] Vgl. Schmidt ebd.

[116] Th.Hartmann, Art. שֶׁמֶשׁ šáemaeš Sonne, THAT II 987-999, hier 993.

[117] Für Belege vgl. HAL II 537a s.v. מזרח ; 514a s.v. מבוא 3.; 582a s.v. II מערב; 530a s.v. מוצא 1.; vgl. auch Hartmann ebd.

[118] Vgl. unten S.30ff.

Zum einen begegnet die Wendung 'die Sonne sehen', חזה/ראה שמש (Ps 58,9; Pred 6,5; 7,11; 11,7), im Sinne von 'leben'[119]. So kann Pred 7,11 (neutral) von den 'Lebenden' reden als von denen, 'die die Sonne sehen' (ראי שמש)[120]. Von der Fehlgeburt wird Ps 58,9 (in der Negation) gesagt, daß sie 'die Sonne nicht sieht' (vgl. Pred 6,5[121]). Und Pred 11,7 hebt schließlich im Gegenüber zu den 'dunklen Tagen' (ימי החשך), die viele sein werden (V.8)[122], die bejahende Sicht des 'Lebens' heraus, wenn betont wird, daß es 'schön für die Augen' sei, 'die Sonne zu sehen'[123].

In der Bedeutung von 'auf der Erde', 'am Leben' als Bezeichnung des Bereichs, "in dem sich das menschliche Leben abspielt"[124], begegnet zum andern beim Prediger häufig[125] die Wendung 'unter der Sonne', תחת השמש[126], nach A.Lauha "einer der Lieblingsausdrücke Kohelets"[127]. Aramäische und phönizische Inschriften des 8. bzw. 6./5.Jh.[128] zeigen

---

119 Vgl. in der Bedeutung von 'leben' auch 'das Licht sehen', ראה אור (Ps 49,20; Hi 3,16).

120 H.W.Hertzberg z.St. wendet sich dabei gegen einen "griechischen Klang" des Ausdrucks, den er als "Mensch werden oder sein" wiedergibt (ders., Der Prediger - H.Bardtke, Das Buch Esther, KAT XVII 4/5 [1963] 139).

121 Es entspricht dabei der Sicht von Kohelet, wenn deren Los als besser gilt als jenes des im Zusammenhang als Beispiel genannten unglücklichen Reichen (vgl. Hi 3,16).

122 Im Gegensatz zu 'die Sonne sehen' werden die ימי החשך zunächst und in erster Linie auf den Tod und die Nichtigkeit in der Scheol zu beziehen sein, erst in zweiter Linie im Vergleich mit Pred 12,3f auch auf die Zeit davor als die Tage des mühseligen Alters (vgl. A.Lauha, Kohelet, BK XIX [1978] 208; G.S.Ogden, Qoheleth XI 7 - XII 8: Qoheleth's Summons to Enjoyment and Reflection, VT 34 [1984] 27-38, hier 30).

123 Für Lauha, der mit Pred 11,7 (gegen Hertzberg aaO. 203.208) einen neuen Abschnitt beginnen läßt, "stehen sich schon in diesem Eingangswort die populäre Lebensbejahung und Kohelets Wirklichkeitssinn als Gegenpole gegenüber" (aaO. 208).

124 Lauha aaO. 33.

125 Die Angaben über die Anzahl der Belege schwanken gelegentlich. G.Lisowsky, Konkordanz zum Hebräischen Alten Testament (1958) 1477f und A.Even-Shoshan, A New Concordance of the Bible, III,2 (1980) 2203f zählen deren 29; vgl. auch Hertzberg aaO. 31.

126 Vgl. hier auch den ähnlichen, dreimal belegten Ausdruck 'unter dem Himmel', תחת השמים in Pred 1,13 (oft, m.E. zu Unrecht, in תחת השמש konjiziert); 2,3; 3,1.

127 AaO. 33.

128 KAI 222 C,4f; 13,7f; 24,12. Zur Ergänzung (inkl. תחת) des z.T. lückenhaften Textes in KAI 222 z.St. vgl. KAI II 257; O.Rössler, TUAT I/2 (1983) läßt die Zeilen 5ff unübersetzt.

dabei, daß der Ausdruck außerbiblisch schon früher belegt[129] und nicht, wie oft angenommen wurde, erst aus dem Griechischen ὑφ' ἡλίῳ abzuleiten ist[130]. Während sich aber dort - bei dem freilich spärlichen Belegmaterial - verschiedene Verwendungsmöglichkeiten abzeichnen[131], ist nun beim Prediger, seiner ganzen negativ-pessimistischen Sicht entsprechend, der Ausdruck in den "Gesamtbereich seiner Kritik"[132] einbezogen und erhält damit selber einen negativen Aspekt[133].

Für beide Wendungen wird man insgesamt festhalten müssen, daß ihr Gebrauch selten, was 'die Sonne sehen' anbelangt, sogar äußerst selten ist. Und dies dürfte wohl nicht ganz zufällig sein, ist doch nun gerade die Vorstellung des engen Zusammenhangs von 'Leben' und der Sonne als 'Geberin des Lebens' aus Ägypten zur Genüge bekannt. So gibt hier u.a. auf einem Relief des 14.Jh. die Sonnenscheibe mit ihren Strahlenhänden dem König und der Königin 'Leben' (das Ankh-Zeichen) in die Nase[134]. Ein Hymnus an Amun-Re preist diesen mit den Worten: "Du bist es, der Luft gibt an jede Nase, um zu beleben, was du geschaffen hast mit deinen Händen"[135]; im sog. Kleinen Hymnus an den Sonnengott aus Amarna findet sich die Aussage: "Millionen von Leben in dir sind, um sie zu beleben - (denn) Lebenshauch an die Nase ist es, deine Strahlen zu sehen"[136].

[129] Auf ähnliche Belege schon im Gilgamesch-Epos und in elamitischen Inschriften machen O.Loretz (Qohelet und der Alte Orient. Untersuchungen zu Stil und theologischer Thematik des Buches Qohelet [1964] 47) und Lauha (aaO. 33) aufmerksam.

[130] Vgl. Hertzberg aaO. 68; Lauha aaO. 33; Loretz aaO. 46f.

[131] In der aramäischen Inschrift der Sfire-Stelen des 8.Jh. (KAI 222 C, 4f) begegnet der Ausdruck in einem vertragsrechtlichen Kontext als 'Mahnung' (זכר) des Königs Matiᶜ-'el an seine Nachfolger auf dem Thron, das Gute zu tun 'unter der Sonne', d.h. die Vertragsbestimmungen einzuhalten, während die beiden phönizischen Sarkophaginschriften des 6. bzw. 5.Jh. aus Sidon (KAI 13,7 und 14,12) ihn in Fluchformeln enthalten.

[132] Hertzberg aaO. 70.

[133] Nach W.Zimmerli bekommt so "diese Beschreibung des Lebens, ... den Akzent lastender Einengung und Versperrtheit in einem Gefängnis" (H.Ringgren - ders., Sprüche / Prediger, ATD 16/1 [³1980] 142).

[134] Vgl. K.Lange, M.Hirmer, Ägypten (1967, Sonderausg. 1978) Abb. 183 (= ANEP Nr.408; Keel, Bildsymbolik [Anm.67] Abb. 288); vgl. Abb. 184 (= ANEP Nr.409; Keel, Abb. 265); Abb. 185; Keel, Abb. 289.

[135] J.Assmann, Ägyptische Hymnen und Gebete (ÄHG), Bibliothek der Alten Welt (1975) Nr.125,21f.

[136] ÄHG Nr.91,55f; vgl. 94,3; 95,4; 107,13f.

Die Sonne bzw. ihre Strahlen sehen ist deshalb gleichbedeutend mit 'Leben': "Sie leben, wenn sie dich sehen, sie liegen (im Todesschlaf), wenn du untergehst"[137]. Öfters findet sich deshalb in dieser oder jener Form die Bitte, die Sonne sehen zu können, so etwa: "O jene Sonnenscheibe, Herr der Strahlen, du gehst auf: auflebt jedes Gesicht. Mögest du geben, dich zu sehen am Morgen Tag für Tag"[138]. Mit Recht formuliert H.Bonnet: "In der Sonne, die Licht und Wärme und damit die Grundbedingungen des Lebens, ja dieses selber hervorbringt, legitimiert sich Re unmittelbar der alltäglichen Erfahrung als Schöpfer. Nicht umsonst heben die Sonnenlieder (...) gerade diese Seite seines Wirkens hervor, die nun einmal die sinnfälligste und überzeugendste ist"[139].

Die Analogien sind deutlich. Freilich wird zugleich der Unterschied zwischen der alttestamentlichen Aussage von 'die Sonne sehen' = 'leben' einerseits und dem eben angedeuteten Vorstellungshorizont andererseits zu beachten sein, als es nun nach dem Alten Testament gerade nicht die Sonne selber ist, die Leben hervorbringt und gibt. Immerhin wird eine Reminiszenz an jene Vorstellungen durchaus mitschwingen, so daß es von daher nicht wundert, wenn das Alte Testament mit dem Gebrauch gerade der genannten Wendung äußerst sparsam umgeht - Mißverständnisse könnten sich hier zuzeiten recht leicht einschleichen.

In besonderer Weise wird der Zusammenhang von Sonne und 'Leben' im Hinblick auf den König deutlich. So formuliert Ps 72 in seinem Wunsch des 'langen Lebens' für den König: 'Er möge lange leben[140] mit der Sonne (עם שֶׁמֶשׁ) - wie auch vor dem Mond -' (V.5), und: 'vor der Sonne' (לִפְנֵי שֶׁמֶשׁ, par. לְעוֹלָם) sprosse (wie eine Pflanze) sein Name' (V.17)[141]. Der König, Recht und so šālôm verwirklichend, soll gleichsam Anteil

---

[137] ÄHG Nr.95,11ff; vgl. 92,125ff; 131,17f; 169,18f.

[138] ÄHG Nr.42 B,3-5; vgl. 99,54f; 35,14ff; 30,28; 107,13f; 163,13f.

[139] RÄRG 627.

[140] Mit den meisten Kommentaren und Übersetzungen lese ich nach LXX statt MT יִירָאוּךָ, 'sie mögen dich fürchten', וְיַאֲרִיךְ (sc. יָמִין), 'er mache lang (sc. seine Tage)'; vgl. Pred 7,15; Jes 53,10. Anders A.Weiser, der V.5 unter Weglassung des Verbs auf V.4 bezieht (Die Psalmen. Ps 61-150, ATD 15 [⁴1955] 341).

[141] Vgl. Ps 89,37: 'sein Thron sei wie die Sonne vor mir (sc. Jahwe)', כַשֶּׁמֶשׁ נֶגְדִּי. Aus der Karatepe-Inschrift (8.Jh.), KAI 26 A IV,2f (= C V,5-7): 'der Name des Azitawada möge bestehen in Ewigkeit wie der Name der Sonne und des Mondes'.

haben an der ewigen Dauer der kosmischen Macht 'Sonne', die außerbiblisch in der Umwelt Israels selber auch den Namen 'ewige Sonne' trägt[142].

Freilich ist auch hier wieder zu beachten: Der allgemein übliche
Elemente des altorientalischen 'Hofstils' aufweisende Psalm spricht
hinsichtlich des Königs einen Wunsch, eine Bitte aus, deren Adressat
Jahwe ist. Dieser allein, und nicht etwa die Sonne, ist Spender jenes
'ewigen Lebens'.

Ebensowenig wird nun etwa gar der König selber als 'Sonne' titu-
liert, wie dies aus der altorientalischen Umwelt bekannt ist[143], und
damit letztlich selber als kosmische Ordnung konstituierend, begründend
und realisierend dargestellt. Es ist der ägyptische König, von dem
die Ordnung, Maat, selber erschaffen wird. "Der israelitische König
'macht' nicht die Ordnung, sondern er tut lediglich ordnungsschaffendes
Handeln (...)"[144]. Allerdings weist ein Text wie 2Sam 23,1-7, der im

---

[142] Vgl. aus Ugarit die in einem Brief an den König von Ugarit erwähnte
'Sonnengöttin der Ewigkeit', špš ᶜlm (KTU 2.42 [= UT 2008],7), die
hier unmittelbar neben Baal, dem Staatsgott von Ugarit, genannt und
diesem zugeordnet ist (vgl. oben S.21 zur Paarbildung von Rakib'el
und Šamaš). In der Karatepe-Inschrift begegnet der in einer Reihe
von Fluchgöttern erwähnte 'Sonnengott der Ewigkeit', עולם שמש (KAI 26
A III,19). Vgl. auch die folgende Anmerkung.

[143] Zum Königsprädikat 'Sonne' vgl. in den Amarna-Texten die formelhafte
Anrede des ägyptischen Königs durch die palästinischen Fürsten als
'der König, die Sonne, mein Herr' (J.A.Knudtzon, Die El-Amarna-
Tafeln, VAB 2,1.2 [1915]; A.F.Rainey, El Amarna Tablets 359-379,
AOAT 8 [²1978], je passim), die verschiedenen Titulaturen in den
Briefen des Abimilki von Tyrus: 'der König ist die ewige Sonne',
šarru šamaš darîtum (EA 155,6.47, vgl.146,6f), 'die Sonne, die aufgeht über die Länder Tag für Tag' (EA 147,5-7, vgl. 84,30) bzw.
'über mich' (EA 147,52). - In Ugarit ist špš als Bezeichnung des
Großkönigs der Hethiter, mlk rb, bzw. des Pharao belegt (KTU 3.1 [=
UT 118],11.19.25 [vgl. C.H.Gordon, Ugaritic Literature. A Comprehensive Translation of the Poetic and Prose Texts, 1949, 121f; TUAT I/
2, 1983, 133f); 2.34 [= 2009],13; 2.39 [= 2060],1; 4.160 [= 2058],1
und KTU 2.23 [1018],1.23). - In Mari wird (neben andern Titeln) mit
'meine Sonne' der König Zimri-Lim angeredet (ARM.T X [1978] 39,1,
vgl. 99,5). - Im Codex Hammurapi schließlich findet sich als Selbst-
bezeichnung des Königs 'der mächtige König, Sonne(ngott) von Babel,
der Licht aufgehen ließ über das Land Sumer und Akkad' (CH Prolog V,
33ff; vgl. TUAT I/1 [1982] 44). - Vgl. u.a. auch W.Fauth, Sonnengottheit (ᵈUTU) und 'Königliche Sonne' (ᵈUTUˢⁱ) bei den Hethitern, UF 11
(1979) 227-263.

[144] H.H.Schmid, Gerechtigkeit als Weltordnung. Hintergrund und Geschichte des alttestamentlichen Gerechtigkeitsbegriffes, BHTh 40 (1968)
85, Anm.35. Es ist denn auch bezeichnend, daß vom israelitischen König gesagt werden kann, daß er משפט höre (vgl. 1Kön 3,11), während

Traditionsbereich der Jerusalemer Kult- und Hoftheologie steht, noch auf diese Zusammenhänge hin. In der weisheitlich geprägten, als Jahwerede an den König gehaltenen 'Idealdarstellung' eines Herrschers heißt es hier V.3: 'Wer die Menschen als Gerechter beherrscht(מוֹשֵׁל בָּאָדָם צַדִּיק), wer in der Furcht Gottes herrscht, ist wie das Licht des Morgens, da die Sonne aufgeht ...' (וּכְאוֹר בֹּקֶר יִזְרַח־שָׁמֶשׁ)[145]. Es ist das Idealbild des gerechten, weisen Herrschers, der hier dem lebensspendenden Licht bei Sonnenaufgang verglichen wird[146].

Schließlich ist die Num 25,4; 2Sam 12,11f begegnende Wendung 'angesichts, vor der Sonne', נֶגֶד הַשָּׁמֶשׁ , zu nennen[147]. Ein Vergehen wird hier

die formal wie inhaltlich entsprechende ägyptische Wendung 'Maat hören' (sḏm m3ᶜt) lediglich dort verwendet wird, wo jemand, ein königlicher Beamter, vom König 'Maat' empfängt; "daß der König selbst ein 'Hörer' der 'Maat' ist, läßt sich in dieser Diktion bislang nicht nachweisen" (M.Görg, Gott-König-Reden in Israel und Ägypten, BWANT 105 [1975] 95; vgl. auch H.-P.Stähli, Knabe-Jüngling-Knecht. Untersuchungen zum Begriff נַעַר im Alten Testament, BET 7 [1978] 115f). Verschiedene Prädikationen, die dem König (wie der Gottheit) zugeeignet werden, kennzeichnen denn diesen als 'Herrn der Maat', 'der Maat entscheidet', 'der Maat erscheinen läßt' u.a.m. (vgl. Schmid aaO. 48f; Görg aaO. 91ff).

[145] Übersetzung mit Stolz, Samuel (Anm.72) 293.

[146] Vgl. in diesem Zusammenhang ARM.T X 99,5, wo der König gerade in einer Bitte um Rechtsbeistand und Verwirklichung des Rechts als 'Sonne' angeredet wird (vgl. auch aaO. 92,19-21). Zum Vergleich 'König - Sonne' vgl. auch A.Falkenstein - W.von Soden, Sumerische und Akkadische Hymnen und Gebete (SAHG), Bibliothek der Alten Welt (1953) 106. 117.121.123; Aḥiḳar VII,108 (Cowley, APFC 216). - Keinen Anhalt im Text hat die Interpretation von G.W.Ahlström, der in Ps 112,4 in engem Zusammenhang mit 2Sam 23,4 eine Aussage über den König sieht, den er als Subjekt des Satzes postuliert: er gehe im Finstern als Licht für die Frommen auf (Psalm 89. Eine Liturgie aus dem Ritual des leidenden Königs [1959] 89).

[147] Vgl. den Ausdruck קֳדָם שִׁמְשָׁא bzw. מִן טַלָּא לְשִׁמְשָׁא , 'vor der Sonne' (Aḥiḳar VI,93, Cowley aaO. 215 und E.G.Kraeling, The Brooklyn Museum Aramaic Papyri. New Documents of the Fifth Century B.C. from the Jewish Colony at Elephantine [1953] Pap. 5,9; vgl. dazu 185f, DISO 100). A.Dupont-Sommer liest קֳדָם שִׁמְשָׁא auch in der oben (Anm.128) erwähnten Sfire-Inschrift KAI 222 C,4f (in: F.Rosenthal [Ed.], An Aramaic Handbook, PLO X [1967] 4 [I C 5], doch vgl. dagegen KAI II 257. Steht dabei in der Aḥiḳar-Stelle VI,92f der Ausdruck im weisheitlichen Kontext des 'rechten Tuns',so findet er sich in Pap. 5 im rechtlichen Kontext der Freilassung (manumissio) einer Sklavin und deren Tochter durch ihren jüdischen Herrn, die (Z.10) ausdrücklich unter göttliche Sanktionierung und Autorität gestellt wird (וַאֲנַחְתִּי שְׁבִיקָה לֶאֱלָהָא). In beiden Texten, auch im jüdischen Rechtsdokument aus Elephantine, ist der Bezug zur 'Sonne' (zu Šamaš) als Wahrer und Garant der Rechtsordnung deutlich.

auf Befehl Jahwes durch 'Verrenken der Glieder' (יקע, hi.)[148] 'für
Jahwe' (ליהוה) 'vor der Sonne' geahndet, bzw. Jahwe selbst ahndet das
Vergehen, den Ehebruch und Mord Davids 'vor ganz Israel und vor der
Sonne' (נגד כל-ישראל ונגד השׁמשׁ).

Der unmittelbare Kontext der Samuelstelle mit dem Oppositum בסתר,
'heimlich', zeigt an, daß es hier ohne Zweifel um das 'publice', 'öffent-
liche' Vollziehen der Strafe geht. Kommentare übersetzen hier dementsprechend etwa mit 'am hellichten Tag'[149]. Allerdings weist M.Noth
für den Numeri-Text mit Recht darauf hin, daß - wenn auch "der besondere
Sinn der Sache dunkel (bleibt)" - 'angesichts der Sonne' "gewiß mehr
besagen soll, als daß die Strafe bei (hellem) Tageslicht vollstreckt
werden sollte"[150]. Interessanterweise findet sich nun die gleiche Strafart wie im Numeri-Text auch bei der Hinrichtung der Sauliden durch
die Gibeoniten (2Sam 21,6.9). Das Ganze geschieht dabei (nach LXX konjiziert:) 'auf dem Berg Jahwes'[151] 'für' (ל) bzw. 'vor (לפני) Jahwe'.
Die Strafe, die hier an heiligem Ort 'für/vor Jahwe' vollzogen wird,
wird demgegenüber im ersten Text gleichsam vor zwei (Gerichts-)Foren
vollstreckt: 'für Jahwe', 'vor der Sonne'. Wie stehen diese beiden
zueinander? Sollte sich in dieser "grausamen Tötungsweise", die "wahrscheinlich einen besonderen hintergründigen Sinn hatte, der uns unbe-
kannt ist"[152], die Erinnerung an eine Strafsitte erhalten haben und
spiegeln, bei der vor dem (obersten) Forum der Sonne (נגד השׁמשׁ) Leute
einer wie auch immer gearteten gottheitlichen oder ursprünglich gar
dämonischen Macht durch eben jene Strafart des יקע zum Opfer fielen,

---

[148] Übersetzung nach der Bedeutung des ḳal mit M.Noth, Das vierte Buch
Mose. Numeri, ATD 7 (1966) 170 und 172; HAL II 412a s.v. gibt die Bedeutung "mit gebrochenen Gliedern aussetzen" an.

[149] Vgl. Hertzberg, Samuelbücher (Anm.72) 252; Stolz aaO. (Anm.72) 239
(das 'und' ist hier offenbar als waw explicationis verstanden); HAL
III 629b je z.St. Schon Raschi deutet den Ausdruck als 'vor aller
Augen', לעין כל, und Ibn Esra bemerkt, der Ton liege auf der 'Öffent-
lichkeit', בפרהסיא (< παρρησία); vgl. Miqrā'ōt gedōlōt je zu Num
25,4. Dagegen sieht Greßmann darin bloß die örtliche Angabe 'unter
freiem Himmel' (Die Anfänge Israels [Anm.64] 129 zu Num 25,4). Interessanterweise macht im gleichen Zusammenhang Raschi auch auf die Deutung des Midrasch aufmerksam, wonach die Sonne die Sünder offenbar
mache (מודיע את החטאים).

[150] Noth aaO. 172.

[151] Vgl. BHK und die Kommentare z.St.

[152] Noth aaO. 172.

wobei nun (später) israelitisiert dafür zunächst - so im Numeri-Text - Jahwe stünde und schließlich im Samuel-Text dieser unter endgültiger Eliminierung der Sonne als einzige und letzte strafende und sanktionierende richterliche Macht in Erscheinung träte?

Es ist immerhin auffallend, daß das gleiche Verb יקע im ḳal (abgesehen von zwei sonstigen Verwendungen[153]) ausgerechnet in der Erzählung von Jakobs Kampf mit dem nächtlichen Flußdämon am Jabbok begegnet: 'als er sah, daß er ihn nicht überwältigen konnte, da berührte er mit Gewalt sein Hüftgelenk, so daß sich das Hüftgelenk Jakobs verrenkte' (Gen 32,26).

Es ist zu beachten, daß die Wendung נגד השמש beide Male, im Numeri- wie auch im Samuel-Text, im Zusammenhang von Gericht und Strafe gebraucht wird. So ist nun nach den eben schon angestellten Überlegungen zu fragen, ob nicht in der Tat hinter jenem auf den ersten Blick vordergründig banalen 'vor der Sonne' ursprünglich die Vorstellung von der Sonne als oberstem universalem Richter und Sachwalter des Rechts steht, 'vor dem', 'vor dessen Augen' (2Sam 12,11) sich das Strafverfahren abspielt. Wenn von David gesagt wird, er habe seine (Un-)Tat 'heimlich', 'im Verborgenen' (בסתר) getan, so ist hier daran zu erinnern, daß nun gerade in jenem schon erwähnten Vers des 'Sonnentextes' Ps 19 (mit derselben Verbalwurzel) betont wird (V.7), daß vor ihrer (sc. der Sonne) Glut nichts 'verborgen' bleiben kann (אין נסתר מחמתו)[154].

VI. Sonne - Jahwe

Gerade von diesen letzten Beobachtungen und Überlegungen aus sind nun auch jene Ausdrücke zur Zeitbestimmung wichtiger und entscheidender Ereignisse wie 'Sonnenaufgang', 'Sonnenuntergang', 'bei der Hitze der

---

[153] Vgl. dazu die Wörterbücher s.v.

[154] Zum Sonnengott, der das Verborgene aufdeckt, wie zu seiner Allwissenheit vgl. etwa aus Mesopotamien die Anrede in einer Beschwörung: "Schamasch, ... hocherhabener Kenner des Verborgenen, der die Menschen führt" (SAHG 323); aus einer anderen Beschwörung: "Shamash, Seigneur pur, qui tiens en bon ordre les cieux et la terre, Shamash, juge, ..., Disque solaire superbe, qui sais tout, dont le jugement sans appel" (M.-J.Seux, Hymnes et Prières aux Dieux de Babylonie et d'Assyrie [HPBA] LAPO 8 [1976] 454); vgl. SAHG 242.248. - Aus Ägypten vgl.: "Lob dir, RE-ATUM, Allherr, der das Seiende schuf! Der aufgeht im Himmel und dieses Land erleuchtet, während seine Strahlen die Verborgenheit durchdringen" (ÄHG Nr.198,1-4); "Deine Strahlen haben das Verborgene aufgetan, dein Gluthauch hat die Finsternis zu

Sonne', auf die schon kurz hingewiesen worden ist[155], nochmals zu erwähnen. Mit gutem Grund sind sie daraufhin zu überdenken, ob, wie 'welt-
lich-banal' sie jetzt auch erscheinen mögen, sie von Hause aus nicht
tatsächlich viel mehr mit der Sonne nicht bloß als Gestirn, sondern
als 'Sonnengott' zu tun haben, ob also Elemente solarer Herkunft nicht
über das hinausgehen, was H.Ringgren als Mindestmaß akzeptiert, wenn
er von "Spuren einer Sonnenverehrung im Alten Testament" spricht[156].

Bekannt ist jene Vorstellung, auf die - explizit oder zumindest
implizit - schon hingedeutet worden ist, nämlich die Vorstellung vom
'Sonnengott', der als souveräner, universaler Richter und (als Kehrseite
derselben Aussage) Retter erscheint, alles Feindliche, Dämonische -
sein zerstörerischer Machtbereich ist die Nacht -, alles der heilvollen
kosmischen Ordnung Zuwiderlaufende vertreibt und vernichtet und so
gerade je neu Ordnung schlechthin konstituiert. Altorientalische Bilder[157] und Texte[158] aus dem mesopotamischen wie aus dem ägyptischen
Raum belegen dies deutlich und zur Genüge.

In mesopotamischen Hymnen, Gebeten und Beschwörungen wie auch im
Epilog des Codex Hammurapi[159] erscheint so Šamaš als "der richtende
Gott schlechthin"[160]. Er ist der "große Richter des Himmels und der
Erde"[161].

Der große Hymnus an Šamaš preist diesen mit den Worten:

"Schamasch, Erleuchter der Erde, Richter des Himmels,
Erheller des Dunkels, ... droben und drunten!

Fall gebracht" (ÄHG Nr.48,19f). Zum Motiv der Allwissenheit vgl. ÄHG
Nr.42,40-43; 45,5f; 47,5f; 48,10.

[155] Vgl. oben S.23.

[156] Israelitische Religion (Anm.31) 56.

[157] Vgl. AOB 321; Keel, Bildsymbolik (Anm.67) Abb.53-55.90a.286.

[158] Vgl. entsprechende Texte in den leicht zugänglichen Übersetzungen
von SAHG und HPBA, passim.

[159] Text und Übersetzung G.R.Driver - J.C.Miles, The Babylonian Laws II
(1955, Reprint 1960); neue Übersetzung von R.Borger in: TUAT I/1
(1982) 39ff.

[160] A.Gamper, Gott als Richter in Mesopotamien und im Alten Testament.
Zum Verständnis einer Gebetssitte (1966) 71; vgl. 76-87.

[161] Codex Hammurapi (Epilog) XLVII,84ff; L,14ff. Zur Prädikation als
Richter vgl. ferner u.a.: "des Landes Richter, der die gerechte Ent-
scheidung fällt" (SAHG 221); "Erleuchter der Erde, Richter des Himmels" (SAHG 240); "hocherhabener Richter" (SAHG 247); "Herr des Ge-
richts" (SAHG 278); "Richter Himmels und der Erde" (SAHG 318); "unbe-

Niedergeworfen hält wie ein Netz das Land dein Strahlenglanz;
in den sich klar abhebenden Bergen hast du die Finsternis aufge-
hellt"[162].

In einer Gebetsbeschwörung ruft der an einer ihm unbekannten Krankheit

erkrankte Beter Šamaš an:

"Puissant, très grand, lumière de tous les pays,
Le tout premier des dieux, juge véridique,
Qui tiens en bon ordre les gens, qui scrutes les contrées,
Juge du monde d'en haut, qui tiens en bon ordre le monde d'en bas,
Roi des cieux et de la terre, maître des destins, juge incorruptible,
Qui tiens en bon ordre les vivants,
Ton conseil prévaut sur celui des Igigu,
Tu observes comme il convient le méchant et le mauvais;
Du zénith à l'horizon sont dispersés tes rayons;
Tu anéantis l'ennemi méchant et perfide.
Shamash, quand tu flamboies dans les cieux, tu domines tous les
pays
Et ton filet capture les méchants;
.....
Regarde-moi fidèlement et accueille mon imploration"[163].

In einer anderen Gebetsbeschwörung lobt der Betende Šamaš als den,
"der du die Argen vernichtest, ..., der du den Faden des Bösen abschnei-
dest, Menschen und Land vernichten kannst!", um ihn dann in der Bitte,
"damit ich über den, der mich bezaubert hat, immer wieder triumphieren
kann", anzurufen:

"Erhalte mir die rechte Ordnung, o Herr, du Licht der Welt,
Richter Schamasch"[164].

Ein Amulett des 7.Jh. aus Arslan Tasch schließlich vertreibt Dämonen
mit dem Hinweis auf die Sonne folgendermaßen:

"Sasam - man soll nicht für ihn öffnen und nicht soll er herabkommen
zu den Türpfosten. Die Sonne geht auf! O Sasam - geh vorüber und
niederzutreten höre auf! (יצא שמש לססם חלף ולרד סף)"[165].

stechlicher Richter, der die Menschheit in Ordnung hält" (SAHG 321);
"Richter von Himmel und Erde, der seinen Befehl nicht umändert, ...,
der in das Dunkel rechte Ordnung bringt" (SAHG 323) u.ä.

[162] SAHG 240.

[163] HPBA 424.

[164] SAHG 325.

[165] Text und Übersetzung nach W.Röllig, Die Amulette von Arslan Taş,
NESE 2 (1974) 17-36, hier 19 (Z.22-29). Vgl. auch F.M.Cross/R.J.Sa-
ley, Phoenician Incantations on a Plaque of the Seventh Century B.C.
from Arslan Tash in Upper Syria, BASOR 197 (1970) 42-49, hier 47
(nur die zwei letzten Wörter werden hier anders gelesen: ולדר עף,
"and fly away home"). Anders dagegen KAI 27,26f, vgl. II,44.47; E.Li-
pinski in: Religionsgeschichtliches Textbuch zum Alten Testament,
GAT I (1975) 266.

Ebenso erscheint der ägyptische Sonnengott bei seinem morgendlichen Aufgehen als Richter und Retter[166], wendet sich gegen die feindlichen, sich ihm entgegenstellenden verheerenden Mächte. So überwindet er die große Apophis-Schlange - Verkörperung von Dunkel, Gewölk und Dunst - als die kosmische Feindesmacht, die inneren und äußeren Feinde des Königs und schließlich auch als lebensspendende Macht schlechthin den Tod. Sein Gluthauch bringt die Finsternis zu Fall, seine Flamme ist es, die den Schrecken vor ihm schafft[167].

Aus einer Fülle von Belegen und Hinweisen sei hier eine Passage aus einem Hymnus an den Sonnengott zitiert:

"O geh doch auf, RE-HARACHTE!
Du gehst auf, du bist aufgegangen und strahlend,
du bist gerechtfertigt gegen deine Feinde.
Du gibst der Morgenbarke freie Fahrt,
du treibst den Feind zurück in seinem Angriff,
in einem Augenblick (schon) ist er bewegungslos.
Du hast die Kraft des Rebellen gebrochen,
der Feind des RE ist gefallen in der Flamme,
'Wildgesicht' ist gewichen in seiner Stunde,
die 'Brut der Ohnmacht', ihre Kraft ist dahin.
RE hat Gewalt über seine Feinde,
die 'Krummherzigen' sind gefallen im Gemetzel"[168].

Weitere Textbeispiele brauchen hier nicht aufgeführt zu werden[169]. Ein nicht unwesentlicher Punkt ist hier allerdings noch kurz zu erörtern, nämlich der folgende: Die Mittagszeit beim täglichen Stillstand der Sonnenbarke gilt als Kulminationspunkt der kosmischen Krise und Gefährdung der Sonne wie nun zugleich auch der Überwindung der Gefahr, "einer Gefahr, von der das gesamte Leben in allen seinen Sinn-Dimensionen betroffen ist, und die sowohl jederzeit als auch in jeglicher Gestalt - als Hungersnot, Seuche, Krankheit, Schlangenbiss, Aufruhr, Krieg usw. - in das Leben sowohl der Gemeinschaft als auch des Einzelnen einbrechen und mit der Störung der Ordnung in einer ihrer Sinn-Dimensionen den Sonnenlauf, die Zeit, das Leben zum Stillstand bringen kann"[170].

Eine Strophe eines in den Gräbern recht verbreiteten Hymnus bringt dies etwa zum Ausdruck mit den Worten:

[166] Vgl. etwa A.Erman, Die Literatur der Ägypter (1923) 77-79.
[167] Vgl. ÄHG Nr.48,20.24.
[168] ÄHG Nr.22B,7-14; vgl. auch die Fortsetzung.
[169] Vgl. ferner u.a.: ÄHG Nr.4; 7B; 10,5ff; 17,14ff; 22A,30ff; 30,15ff; 43,27-40; 45,13-20; 61,10ff; 100,15ff u.ö.
[170] J.Assmann, Re und Amun. Die Krise des polytheistischen Weltbilds im Ägypten der 18.-20.Dynastie, OBO 51 (1983) 78.

"Du querst den Himmel, dein Herz ist weit,
die Seelen von Buto und Hierakonpolis sind dein Schutz;
du überfährst den Himmel in Frohlocken,
der Zweimessersee ist friedlich geworden,
APOPIS ist an seinem Gemetzel zugrunde gegangen,
das Messer hat seinen Wirbel durchschnitten.

Die Götter sind in Frohlocken,
RE fährt in gutem Segelwind;
die Nachtbarke, sie hat den vernichtet, der sie angriff,
die Tagesbarke hat Freude ergriffen,
die Barke der Millionen freut sich,
die Mannschaft des RE ist im Fest,
(wenn) sie sehen, daß der Rebell gefällt ist
und daß die Flamme ihn vertrieben hat"[171].

So ist nun "das Mittags-Thema des Tageszeitenliedes ... der Triumphzug des Gottes, der den siegreich überstandenen Kampf bereits zur Voraussetzung hat"[172]. Dabei ist der Sieg über Apophis "weniger eine Manifestation der Kraft, als des Rechts und der Ordnung, der Maat, die als Folge
und Ausdruck des Sieges 'vor Re erscheint'"[173].

In diesen kurz skizzierten Gesamtvorstellungshorizont fügen sich
nun eine Reihe von alttestamentlichen Stellen ein, von denen einige
hier genannt seien:

Die Nacht ist der Wirkbereich des dämonischen Wesens, das Jakob
am Jabbok überfällt (Gen 32,23ff; vgl. auch Hi 24,17). Beim Aufsteigen
der Morgenröte jedoch (עלה השׁחר) muß es sich zurückziehen (V.27). Und
als 'ihm' die Sonne aufgeht (ויזרח לו השׁמשׁ , V.32), ist der ganze Spuk
gebannt, vorbei; als Reminiszenz ist Jakob die lädierte Hüfte zurückge-
blieben. Das 'ihm' (לו) hebt dabei deutlich heraus und signalisiert,
daß sie 'für ihn' aufgeht und so Rettung bedeutet, "Befreiung von dem
Schrecken der Nacht und die Möglichkeit, weiterzuziehen"[174].

Nach Ri 19 ist ein Levit mit seiner Frau und seinem Knecht unterwegs
auf Reisen, als bei Gibea 'die Sonne untergeht' - der hebräische Text
verdeutlicht: 'ihnen' (ותבא להם השׁמשׁ , V.14). Das Unheil bahnt sich
an. Das Treiben 'ruchloser Männer' (אנשׁי בני בליעל) beginnt (V.22),
die an der Tochter des Gastgebers die Schandtat (נבלה) verüben (V.23f)
und mit ihr 'ihren Mutwillen treiben' (התעלל), 'die ganze Nacht bis

---

[171] ÄHG NR.64,17-30. Vgl. Assmann aaO. 74; ÄHG Nr.32,7ff. - Zur 'Herzens-
weite' als "Gefühl des Siegers beim Triumphzug" vgl. Assmann aaO.
74, zum 'Zweimessersee' und ähnlichen Örtlichkeiten aaO. 77.

[172] Assmann aaO. 75.

[173] AaO. 77; vgl. ÄHG Nr.6-8 (Tageszeitenlied, 6.-8.Stunde).

[174] C.Westermann, Genesis. 2.Teilbd. Gen 12-36, BK I/2 (1981) 634.

zum Morgen, dann schickten sie sie fort/ließen sie los, als die Morgenröte aufstieg' (V.25; vgl. 1Sam 14,36).

Nach Sonnenaufgang wiederum beginnt Jahwe mit dem Gericht der Zerstörung über Sodom (Gen 19,23ff), das vermutlich in dieser Geschichte
ursprünglich vom Sonnengott selber ausging. So "versteht man, daß die
Boten beim Erscheinen des Frührots zu drängen beginnen, denn der Sonnengott straft, ..., bei seinem Eintritt in die Welt die Verbrechen, die
während der Nacht, während seiner Abwesenheit, begangen worden sind"[175].

Reste der Vorstellung vom rettenden und richtenden Eingreifen der
Sonnengottheit wird man auch noch in militärischem Kontext erkennen
können. So erfolgt der Angriff gegen den fremden Feind, und das heißt
ja: gegen die historisch präsente kosmosgefährdende Macht, 'bei Sonnenaufgang' (כזרח השמש , Ri 9,33[176]). In der Schlacht gegen Amalek (Ex
17,8ff) hält Mose, links und rechts gestützt, die Arme hoch, 'bis die
Sonne unterging' (עד־בא השמש) und so Amalek geschlagen wird (V.12f).
Im Kampf gegen die Ammoniter (1Sam 11) erringt Saul den Sieg über den
Feind 'bis zur Hitzes des Tages' (עד־חם היום, V.12, vgl. 'bei der Hitze
der Sonne', בחם השמש , V.9); die Gefährdung der israelitischen Gemeinschaft ist vorüber, die (bedrohte) 'Ordnung' wiederhergestellt. In
der Josuaschlacht bei Gibeon schließlich (Jos 10) bleibt die Sonne
auf wunderbare Weise am Kulminationspunkt (בחצי השמים) stehen[177] 'und
eilte nicht unterzugehen, ungefähr einen ganzen Tag lang' (V.13b, vgl.
V.12.13a) - totale Krise für die Kanaanäer einerseits, voller Triumph
Israels über die Feinde andererseits[178].

Der gleichen Vorstellung entspricht ebenfalls, freilich in ihrer
Negation, die Zerstörung der kosmischen Ordnung schlechthin in allen
Lebensdimensionen, wenn Jahwe im Gericht gegen Israel nach Am 8,9 die
Sonne (wiederum) 'am Mittag', an ihrem 'Kulminationspunkt' (בצהרים)[179],

---

[175] Keel, Wer zerstörte Sodom? (Anm.70) 13.

[176] Vgl. auch 1Makk 6,39; 2Makk 1,22; 10,28; Jdt 14,2; anders etwa Ri
7,19ff.

[177] Zum 'Stillstand' als 'Mittag' im Ägyptischen vgl. Assmann aaO. 78.

[178] Anders die m.E. nicht richtige Deutung von Dus, wonach es hier ursprünglich um einen Fluch gegen die Sonne geht, so daß sie kein günstiges Orakel mehr zu geben imstande ist (Gibeon [Anm.83] 355.356f;
vgl. oben Anm.83).

[179] Zu צהרים als 'Kulminationspunkt der Sonne' vgl. HAL III 946a; THAT I
647.

untergehen läßt[180] und wenn er nach Jer 15,8 - wiederum im Zusammenhang mit dem Untergang der Sonne am hellen Tage (vgl. V.9)[181] - den 'Verwüster (שׁדד) am Mittag'[182] bringt.

Schließlich ist hier auch Zeph 3,1-5 zu erwähnen, ein Text, der in unseren Überlegungen noch einen Schritt weiter führen wird. Der im Widerstreit gegen Jahwe lebenden 'rebellischen, befleckten[183] und gewalttätigen (namentlich nicht genannten, aber offensichtlich gemeinten) Stadt' Jerusalem, der der Wehe-(הוי-)Ruf gilt und deren politische und religiöse Eliten in ihrem 'raubtiergleichen' (Unrecht-)Handeln

---

[180] Zur Verfinsterung der Sonne am Mittag als kosmische Katastrophe vgl. Assmann aaO. 79; hier u.a. auch der Hinweis auf Urk VI (S.Schott, Urkunden mythologischen Inhalts [1929-1939] 123: "damit die Sonne sich nicht verfinstert auf der Sandbank des Zweimessersees". - Konkreter Anlaß für die Aussage in Am 8,9 mag durchaus eine (evtl. sogar totale) Sonnenfinsternis gewesen sein (Hinweise für eine zeitliche Ansetzung siehe in den Kommentaren), und das "Unheimliche solcher Stunden wird von Generation zu Generation erzählt worden sein" (H.W.Wolff, Dodekapropheton 2. Joel und Amos, BK XIV/2 [1969] 378). Doch wird "dieser unheimliche, weil scheinbar unerklärliche ... Naturvorgang" (W.Rudolph, Joel-Amos-Obadja-Jona, KAT XIII 2 [1971] 265) nun als Gericht in den Zusammenhang eben jener letzten kosmischen Dimensionen der Lebensbedrohung schlechthin gestellt. Dieser schlechthinigen Lebensbedrohung entspricht sachgemäß auch die Fortsetzung in V.10 mit dem Hinweis auf die von Jahwe selbst ausgelöste Totenklage. Unzutreffend ist dabei die Interpretation Wolffs (aaO. 378), die Sonne selbst werde "Anführerin der großen Leichenklage in Israel". Sie gehört nicht als Folge zur Leichenklage, sondern ist in ihrem Untergehen gerade deren Voraussetzung.

[181] In V.9aγ wird dabei das Prädikat באה meistens nach Q^{e}re maskulin gelesen, dementsprechend bei בושה וחפרה in V.9aδ wegen des Genuswechsels als Subjekt jenes von V.9aαβ, 'die, die sieben (Söhne) gebar', angenommen (vgl. BHS, Kommentare z.St.). Dies wiederum hat zur Folge, daß die Wendung נפחה נפשׁ in V.9aβ nun "nicht den Tod bedeuten kann" (W.Rudolph, Jeremia, HAT 12 [³1968] 102). Die Aussage von V.9 wird so freilich in ihrer ganzen Schärfe gemildert. Demgegenüber legt die Lesart nach K^{e}tib (feminin) die Sonne als Subjekt für V.9aγδ insgesamt nahe: Sie ist untergegangen, zuschanden geworden und beschämt (vgl. Jes 24,23), und im Horizont der oben dargelegten Zusammenhänge wird man nun jenes 'die Seele aus-/verhauchen' (vgl. Hi 11,20 hinsichtlich des Geschicks der רשׁעים) in V.9aβ in der Tat sachgemäß als 'Wendung für das Sterben' anzusehen haben (vgl. C.Westermann, Art. נפשׁ näefaeš Seele, THAT II 71-96, hier 88.

[182] Mit Rudolph (aaO. z.St.) wird man nach MT 'am Mitag' eng zu 'Verwüster' in Verbindung zu sehen haben.

[183] Zu נגאלה vgl. HAL I 162a s.v. II גאל. Ein Grund für eine Textänderung, wie etwa F.Horst ('Törichte') und K.Elliger ('Pflichtvergessene') sie vorschlagen, liegt nicht vor (vgl. Th.H.Robinson-F.Horst, Die Zwölf Kleinen Propheten, HAT 14 [³1964] 196 und K.Elliger, Das Buch der zwölf Kleinen Propheten II, ATD 25 [⁵1964) 74 z.St.).

gemeinschaftszerstörend wirken (V.1-4), stellt der Prophet (V.5) Jahwe mit seiner Gerechtigkeit gegenüber: 'Jahwe in ihrer (sc. der Stadt) Mitte ist gerecht (צדיק)[184], er tut kein Unrecht (עולה). Morgen für Morgen gibt/gewährt/setzt er sein Recht, beim Licht bleibt er nicht aus' (בבקר בבקר משפטו יתן לאור לא נעדר)[185].

Es ist zu beachten: Was im Vorausgehenden als Wirken und Handeln der Sonne (des Sonnengottes) beschrieben worden ist - ein Vorstellungshorizont, der sich, wie zu zeigen versucht wurde, in verschiedener Weise in Wendungen, Anspielungen, Reminiszenzen in alttestamentlichen Stellen spiegelt -, stellt sich nunmehr hier eindeutig und unbestreitbar als Wirken und Handeln von Jahwe selbst dar. Er ist es nun, und kein anderer, der (wie die Sonne) jeden Morgen neu 'beim Licht' (der Sonne[186]) 'sein Recht gibt' und so wider jegliches gemeinschaftszerstörende Handeln jener (so apostrophierten) 'Löwen' und 'Wölfe' (wiederum) Ordnung schlechthin konstituiert. Mit Recht bemerkt C.-A.Keller: "YHWH, lui prononce son משפט droit, c'est-à-dire des jugements aptes à rétablir l'ordre dans la société et dans l'univers"[187].

Nun wird oft vorgeschlagen, nach dem Targum (vgl. Syr.) bei אור, 'Licht', statt der Präposition ל jene der Entsprechung, also כאור, zu lesen: 'er gibt sein Recht gleich dem/wie das (Sonnen-)Licht, das nicht ausbleibt'[188]. Sollte dieser Vorschlag richtig sein, dann tritt

---

[184] Der Vers nimmt mit 'in ihrer Mitte' gezielt Bezug auf das unrechte Treiben der politischen Führer 'in ihrer Mitte' in V.3, die dieses gleichsam unter den Augen Jahwes tun (vgl. W.Rudolph, Micha-Nahum-Habakuk-Zephanja, KAT XIII 3 [1975] 288), und wird nun pointiert gegen jene Apostrophierten (alle in Erstposition im Satz) abgehoben. C.-A.Keller setzt deshalb sachlich richtig mit einem 'aber' ('mais') ein (R.Vuilleumier/C.-A.Keller, Michée, Nahoum, Habacuc, Sophonie, CAT XIb [1971] 207; vgl. auch Einheitsbibel z.St.). Zu weit vom Text entfernt und so nicht einsichtig ist freilich seine Übersetzung von צדיק mit "il la redresse" (ebd.).

[185] Die Übersetzung von V.5b ist z.T. umstritten. Festzuhalten ist zunächst, daß לאור nicht von יתן abhängig ist (vgl. dazu auch Rudolph aaO. 286), sondern dieses den zweiten Halbvers beginnt. Im synonymen Parallelismus ist dann für נעדר das gleiche Subjekt, Jahwe, wie in den übrigen Versgliedern von V.5 anzunehmen. Vgl. auch Keller (aaO. 207); anders die Einheitsübersetzung, die משפטו als Subjekt postuliert. Nicht eindeutig in der Übersetzung ist Horst (aaO. 196).

[186] Als "Sonnenlicht" übersetzt Rudolph (aaO. 284); HAL I gibt den Ausdruck als Zeitangabe "bei Tagesanbruch" wieder (24a).

[187] Keller aaO. 207.

[188] Mit verschiedenen Exegeten ist bei der Lesung כאור das folgende לא נעדר als asyndetischer Attributsatz zu verstehen (vgl. H.Schmidt,

auch hier noch einmal die Beziehung 'Sonne - Jahwe' deutlich zutage, ebenso jene von Leben spendendem Licht der Sonne und letztgültige (kosmische wie soziale) Ordnung begründendem Recht[189]. Dabei zeigt sich hier nun, daß nicht bloß dieses oder jenes, mehr oder weniger explizit, auf einige typische solare Elemente anspielt und hinweist. Vielmehr bringt der Vergleich beide, Sonne und Jahwe, quasi zu einer Identifizierung. Oder noch anders ausgedrückt: Mit Fug und Recht wird man sagen können, daß Jahwe - in der 'Nachfolge' der Sonne - deren Platz eingenommen ist; er ist die Sonne.

In diesem Vorstellungshorizont sind nun eine Anzahl von alttestamentlichen Stellen zu sehen, die - ohne daß sie ausdrücklich von der Sonne reden und von ihr zu reden brauchen - den dargelegten Sachverhalt spiegeln, wie er, knapp und prägnant zusammengefaßt, sprichwortartig in Ps 30,6 seinen Niederschlag gefunden hat: 'Am Abend (herrscht) Weinen, am Morgen aber Jubel' (בערב[ילין]בכי ולבקר רנה [190]) und wie er kurz zusammengefaßt als Vorstellung und Erfahrung von der 'Hilfe Gottes am Morgen' (vgl. Ps 46,6) zur Sprache kommt.

Vor über dreißig Jahren hat unter dem gleichen Titel J.Ziegler dem Problem eine (immer wieder zitierte) Arbeit gewidmet[191]. Bei deren Lektüre stellt man allerdings fest, daß merkwürdigerweise in der Deutung dieser ganzen Vorstellung das hier verhandelte Problem kaum in Sicht kommt und so fast inexistent ist. Zwar nennt Ziegler zur Erklärung

Die großen Propheten, SAT II,2 [²1923] 167; Elliger aaO. 75; Rudolph aaO. 284; anders E.Sellin, Das Zwölfprophetenbuch. 2.Hälfte: Nahum - Maleachi, KAT XII,2 [²·³1930] 434).

[189] Resignierend, skeptisch endet freilich der Schluß V.5bß, der - nicht selten anders gelesen (vgl. LXX, dazu Rudolph aaO. 286; Sellin aaO. 437), als Entstellung aus bzw. Variante von V.5a erklärt und ausgeschieden (vgl. Schmidt aaO.168; Horst aaO. 196) oder für eine spätere (prosaische) Glosse gehalten (vgl. Elliger aaO. 75 für V.5 insgesamt) - nach dem MT feststellt, daß entgegen dem, was Erfahrung und Postulat jenes aufgezeigten Vorstellungshorizontes ist und wäre, der Frevler (עול) in seinem die heilsame Ordnung zerstörenden Handeln gerade nicht überwunden wird, 'keine Scham kennt', der Ausweis von Jahwes sich durchsetzender 'Gerechtigkeit' anscheinend in der Strittigkeit bleibt.

[190] Nach der Satzstruktur von V.6 mit sonst nur zweigliedrigen Nominalsätzen und metri causa ist ילין hier zu streichen. Zu לבקר als 'am Morgen' vgl. HAL I 145a (mit Stellenangaben).

[191] J.Ziegler, Die Hilfe Gottes "am Morgen", in: Alttestamentliche Studien. FS F.Nötscher (hg.v.H.Junker und J.Botterweck), BBB 1 (1950) 281-288.

drei Elemente: das Erlebnis des täglichen Sonnenaufgangs, den Usus
der Rechtsprechung am Morgen und die Erfahrung von Gottes Hilfe am
Morgen im Laufe der Geschichte[192]. Doch bewegen sich diese Hinweise
lediglich im vordergründigen Feststellen bestimmter augenfälliger Sach-
verhalte, erklären aber letztlich noch nichts. Gerade wenn auf diese
hingewiesen wird, erhebt sich doch die Frage, warum denn ausgerechnet
am Morgen (und nicht zu einer anderen Zeit) Recht gesprochen wird,
warum Gottes Hilfe ausgerechnet am Morgen sich ereignet und diese Erfahrung in der Geschichte gleichsam auf diese Tageszeit fixiert sein soll.
Ziegler begnügt sich hier aber fast nur mit der Feststellung eines
'daß', ohne die Frage zu stellen, warum denn dies so und nicht anders
ist[193].

VII. Jahwe als 'Sonne'

Fassen wir unsere bisher gemachten Beobachtungen und Überlegungen zusammen, so läßt sich folgendes sagen: Einerseits ist im Lauf der Geschichte
eine schon früh anhebende klare Unterordnung des Gestirns Sonne (wie
der anderen Gestirne) unter Jahwe festzustellen - eine Unterordnung,
die schließlich die Sonne zur wichtigen, aber doch bloßen 'Lampe' degradiert erscheinen läßt. Eine Reihe von Wendungen des alltäglichen Lebens
sind Zeugen für einen solchen Prozeß der 'Verweltlichung' und 'Profani-
sierung' der Sonne und machen diesen deutlich. Auf der anderen Seite

---

[192] AaO. 284ff.

[193] Merkwürdig bleibt auch, daß selbst ein (wenn freilich auch relativ
später) Text wie Mal 3,20: 'euch aber, die ihr meinen Namen fürch-
tet, wird aufgehen die Sonne der Gerechtigkeit, in deren Flügeln Heilung ist' (vgl. W.Rudolph, Haggai - Sacharja 1-8/9-14 - Maleachi,
KAT XIII 4 [1976] 286.289) für Ziegler (vgl. aaO. 285) kaum Anlaß
ist, seine dargelegte Sicht im Hinblick auf die Frage nach einem
evtl. ursprünglich 'solaren Vorstellungshorizont' zu überprüfen oder
gar zu revidieren. Dabei weist der Vers selbst wie auch der weitere
Kontext - der Erwartung und Ankündigung des Gerichtstages Jahwes,
der Wiederherstellung der Ordnung, der verifizierbaren Unterschei-
dung zwischen 'Gerechtem' (צדיק) und 'Frevler' (רשע) und der Vernich-
tung des letzteren - deutlich auf entsprechende Motive hin. - Beziehungen zwischen 'Heilung' (מרפא) in Mal 3,20 und einem phönizischen
Monatsnamen ירח מרפא, 'Monat der Heilung' (vgl. KAI 33,1; 111,3) und
dementsprechend einen Beleg für den Sonnengott als Heilgott sieht
F.Vattioni in seinem Aufsatz: Mal. 3,20 e une mese del calendario
fenicio, Bib. 40 (1959) 1012-1015.

weisen nun gerade einige von ihnen, genauer betrachtet, trotzdem noch deutliche Anspielungen auf solare Elemente und Vorstellungen (mit entsprechender Bedeutung und Funktion) auf. Insbesondere ist es hier die im Alten Orient in Mesopotamien wie in Ägypten belegte Vorstellung der Sonne als des universalen, den Kosmos erhaltenden Richters und Retters, des Garanten und Verwirklichers kosmischer wie sozialer Ordnung schlechthin[194], dessen, der 'die Welt im Innersten zusammenhält'. Alttestamentliche Texte, die verschiedenen literarischen Gattungen zuzuordnen sind, belegen diese Vorstellung in verschiedenen Zusammenhängen. Man kann sogar noch einen Schritt weiter gehen und sagen, daß so ursprünglich solare Züge auf Jahwe selber übertragen worden sind, und in diesem Sinn ist es durchaus legitim festzuhalten, daß Jahwe offenbar die Nachfolge des Sonnengottes angetreten hat, daß er - und kein anderer - (nunmehr) die 'Sonne' ist.

Durchaus in diesem Horizont ist es zu verstehen und wundert nicht, wenn jene für das 'Aufgehen' der Sonne (wie ganz selten auch von Sternen) verwendete Verbalwurzel זרח [195] im Alten Testament sich nun auch auf Jahwe, bei seiner Epiphanie, übertragen findet (vgl. Dtn 33,2; Jes 60,2). In die gleiche Richtung weisend und auf dem gleichen Vorstellungshorizont basierend sind auch die mit der Wurzel זרח gebildeten theophoren, Jahwe-haltigen Personennamen zu verstehen. Alttestamentlich sind so belegt die Namen זְרַחְיָה (Esr 7,4; 8,4; 1Chr 5,32; 6,36), יְזְרַחְיָ (Neh 12,42; 1Chr 7,3) sowie - ohne das theophore Element - זֶרַח [196], 'Jahwe ist aufgegangen'[197], von denen eine Reihe bezeichnenderweise

---

[194] Versuche, die auch wieder von Kraus (Psalmen [Anm.87] 299) und Steck (aaO. [Anm.88] 318 [= 232]) verschiedenen, nicht zusammengehörenden Zusammenhängen zugewiesenen Teile Ps 19A und Ps 19B als Einheit zu verstehen, können auf dem Hintergrund der dargelegten Vorstellungen als durchaus sachgemäß angesehen werden. Vgl. dazu schon L.Dürr, Zur Frage nach der Einheit von Ps. 19, in: Beiträge zur Religionsgeschichte und Archäologie Palästinas. FS E.Sellin (1927) 37-48; neuerdings wieder, unter anderen Gesichtspunkten, H.Gese, Die Einheit von Psalm 19, in: Verifikationen. FS G.Ebeling, hg.v.E.Jüngel, J.Wallmann, W.Werbeck (1982) 1-10.

[195] Für Belege vgl. Wörterbücher und Konkordanzen.

[196] Vgl. Noth, Israelitische Personennamen (Anm.62) 184: Kurzform von זרחיה; zur anderen Ableitung des Namens von II זרח vgl. HAL I 270a s.v. (hier auch Stellenangaben).

[197] Noth versteht dabei זרחיה als 'Danknamen': 'Jahwe hat als Licht aufgeleuchtet' (aaO. 184), יזרחיה dagegen als 'Wunschnamen': 'J. möge aufleuchten' (aaO. 205). Doch wird man den zweiten Namen nach dem

als Namen von Angehörigen priesterlicher oder levitischer Familien begegnen (vgl. Esr 7,4; 1Chr 5,32; 6,36; 1Chr 6,6.26). Außerbiblisch ist seit einigen Jahren auf einem Siegelabdruck des 8.Jh. der mit dem theophoren Element -יהו gebildete Personenname יְהוֹזֶרַח? als Name eines hohen Beamten des Königs Hiskia belegt[198]: ליהוזרח בן חלק[י]הו עבד חזקיהו, 'dem Jehozaraḥ (gehörend), dem Sohn des Hilkia, dem Minister des Hiskia'[199].

Es ist nun richtig, daß der Begriff זרח zu einem neben anderen für das Erscheinen Jahwes belegten und verwendeten Terminus geworden ist[200], wobei, wie F.Schnutenhaus mit Recht darauf hinweist, "man also das Erscheinen des Sonnengottes auf Jahwe (übertrug)"[201]. Es wäre aber falsch, bei diesem 'Übertragungsprozeß' - aus einer gewissen Scheu vor einem synkretistischen 'Solarismus' - den ursprünglichen Sinn und Zusammenhang gleichsam abgestreift zu sehen, die Redeweise bloß noch als Bild zu verstehen[202] und, als ob Jahwe vor einer ihm unsachgemäßen Prädikation geradezu geschützt werden sollte und damit schon eine positive Aussage gewonnen wäre, darauf Gewicht zu legen, daß im jetzigen Kontext keine solaren Züge mehr vorliegen würden[203].

Hier ist nun auch eine Stelle zu nennen, der man, mit der gleichen Tendenz, sehr oft jeglichen solaren Bezug bestreiten zu sollen meinte,

---

Namenbildungstypus 'Präformativkonjugation - theophores Element' für den Stamm vergangenheitliche Interpretation wahrscheinlich gemacht hat, eher auch vergangenheitlich, denn als Wunsch zu übersetzen haben. Zum Namentypus vgl. J.J.Stamm, Hebräische Ersatznamen, in: Studies in Honor of B.Landsberger, AS 16 (1965) 413-424 (jetzt in: ders., Beiträge zur Namenkunde, aaO. [Anm.62] 59-79), hier 414f (= 62ff); ders., Ein Problem der altsemitischen Namengebung, in: Fourth World Congress of Jewish Studies. Papers, Vol.I (1967) 141-147 (= aaO. 81- 95), hier 142a (= 82f).

[198] Vgl. R.Hestrin - M.Dayagi, A Seal Impression of a Servant of King Hezekiah, IEJ 24 (1974) 27-29, Abb. und Inschrift 27 (vgl. auch BRL² 303b. 301b, Abb.78,23).

[199] Angesichts des bis jetzt lediglich einmaligen außerbiblischen Beleges des Namens wird man für dessen Verwendung keine voreiligen Schlüsse ziehen dürfen. Immerhin fällt auf, daß dieser mit זרח gebildete Name ausgerechnet für die Zeit Hiskias belegt ist, jene Zeit also, für die auch die Verwendung eines solaren Symbols auf den Königs-Stempeln bekannt ist (vgl. oben S.10f).

[200] Vgl. F.Schnutenhaus, Das Kommen und Erscheinen Gottes im Alten Testament, ZAW 76 (1964) 1-22, hier 9.

[201] Ebd.

[202] Vgl. Schnutenhaus ebd.

[203] Vgl. Hartmann, שֶׁמֶשׁ (Anm.116), THAT II 999.

obschon sie direkt von Jahwe als 'Sonne' spricht. Gemeint ist Ps 84, der in V.12 in hymnischem Stil davon redet, daß Jahwe 'Gunst und Ehre' (חן וכבוד) verleiht[204], nichts 'Gutes' (טוב) jenen versagt, die 'unsträflich wandeln' (הלכים בתמים), die nicht 'in den Zelten des Frevels (רשע) wohnen' (V.11), mit andern Worten also: den 'Gerechten', den צדיקים, gegenüber (vgl. Ps 15,2: הולך תמים ופועל צדק). 'Denn - so lautet die Begründung - Sonne und Schild[205] ist Jahwe' (כי שמש ומגן יהוה).

Die Prädikation Jahwes als 'Sonne' und (hier zudem) als 'Schild' - wobei beide Begriffe einander gegenseitig erläutern - fügt sich, gerade bei Berücksichtigung der Gattung des Psalms[206] wie auch des unmittelbaren Kontextes von V.12, gut in den Zusammenhang der erläuterten Vorstellungen ein. Exegeten haben allerdings daran häufig Anstoß genommen[207]. Wies seinerzeit etwa J.Olshausen lediglich darauf hin, 'Sonne' heiße Jahwe nur an dieser Stelle[208], so hält später unter anderen H.Gunkel nun fest: "'Sonne' wird Gott so ohne weiteres im AT nirgends genannt ...; das Gegenstück מָגֵן fordert die Bedeutung 'Zinne' ..."[209], und dementsprechend geben auch Bibelübersetzungen wie die 'Zürcher Bibel' oder (ähnlich) die 'Bible de Jérusalem' den Text wieder[210]. H.-J.Kraus geht dann in seinem Psalmenkommentar wieder einen Schritt in der richtigen Richtung, wenn er bemerkt, "daß die in neuerer Zeit üblich gewordene Übersetzung des Wortes שֶׁמֶשׁ = 'Zinne' unberechtigt

---

[204] Gegen Gunkel, Die Psalmen ([5]1968) 368; Kraus, Psalmen (Anm.34) 746 verstehe ich mit MT חן וכבוד als Objekt zu יתן. Vgl. auch Baethgen, Psalmen (Anm.89) 264; W.Staerk, Lyrik (Psalmen, Hoheslied und Verwandtes), SAT III,1 ([2]1920) 246; R.Kittel, Die Psalmen, KAT XIII ([5.6]1929); Weiser, Psalmen (Anm.140) 385.

[205] Zu 'Schild' vgl. aus dem Orakel der Ištar von Arbela an Asarhaddon: "Asarhaddon, in Arbela bin ich dein gnädiger Schild!" (AOT 282; vgl. R.Labat-A.Caquot-M.Sznycer-M.Vieyra, Les religions du Proche-Orient asiatique [1970] 258; zu מגן vgl. auch HAL II 517b s.v.

[206] Vgl. u.a. Kraus aaO. 747f.

[207] Schon der Targum gibt שמש mit שור רם, 'hohe Mauer', wieder, während LXX z.St. einen völlig anderen Text bietet.

[208] Psalmen (Anm.89) 349.

[209] Gunkel aaO. 372; vgl. auch die Kommentare von Baethgen, Kittel, Staerk, Weiser z.St. Man weist dabei normalerweise auf das Fem.-Pl.-Nomen שמשות in Jes 54,12 hin, das im Parallelismus mit 'Tore' als 'Zinnen' wiedergegeben wird (doch vgl. dagegen schon GB 849b).

[210] Anders dagegen die Lutherbibel, die mit 'Sonne' übersetzt; vgl. u.a. auch die französischen Übersetzungen von L.Segond und der 'Version Synodale'.

ist"[211], und dieses deshalb wieder mit 'Sonne' übersetzt. Die Verwendung des Wortes in V.12 kann er sich freilich nur so vorstellen und erklären, daß שֶׁמֶשׁ (wie auch מָגֵן) "zu den Königsprädikaten des alten Orients (gehört), die auf den מֶלֶךְ Jahwe (vgl. 4b) übertragen worden sind"[212], und er verweist dabei auf die Amarna-Texte, in denen palästinische Fürsten den ägyptischen Pharao 'unsere Sonne' nennen[213]. Was andere als Bezeichnung für Jahwe kurzweg ablehnen, ist so für Kraus (nur!) in der Übernahme einer Königstitulatur (in einem 'Dreischritt' Sonne - König - Jahwe) zu erklären. Nun kann zwar Kraus auf diese Weise die Bezeichnung Jahwes als 'Sonne' beibehalten; aber es ist doch zu fragen, ob eine solche Erklärung (der 'Übertragung der Übertragung') wirklich plausibel oder gar die einzig richtige ist oder ob nicht auch hier - wohl unbewußt - eine gewisse Scheu vor allzu nahen Beziehungen zu möglichen solaren Vorstellungen mitspielt. Doch was steht eigentlich der - einfacheren, geradlinigeren - Annahme im Wege, daß hier in der Tat, zumal in Jerusalem, jene Bezeichnung 'Sonne' direkt auf Jahwe übertragen worden ist? In diesem Zusammenhang ist nochmals daran zu erinnern, daß gerade die sog. Reformkönige in Jerusalem ihre Stempel mit dem Sonnensymbol (Skarabäus und geflügelte Sonne) versehen und damit, gleichsam ad oculos demonstrierend, ihre Schutzmacht, die 'Sonne Jahwe', im Wappen führen[214].

Kehren wir noch einmal einen Schritt zurück. Im Triumph über die 'dunklen Mächte', im Gericht über den Frevler, in der Rettung und Hilfe gegenüber dem Gerechten, in der Verwirklichung von Recht und heilsamer

---

[211] AaO. 751. Vgl. dazu auch schon Raschi, der z.St. bemerkt, שֶׁמֶשׁ sei in wörtlicher Bedeutung (כמשמעו) zu verstehen (vgl. Miqrā'ōt gedōlōt z.St.).

[212] AaO. 751.

[213] Siehe oben S.27, Anm.143.

[214] Umstritten ist die aus Gaza stammende Münze (4.Jh.v.Chr.), die einen auf einem Flügelrad thronenden bärtigen Gott zeigt mit einer Beischrift, die man als יהו gelesen hat. Sollte diese Lesart korrekt sein, dann läge hier wohl ein ikonographischer Beleg für eine Verbindung von solarer Gottheit mit dem Jahwe-Namen vor (erwogen wurde auch die Gleichsetzung von Jahwe mit Zeus/Dionysos). Näher liegt aber wohl, hier יהד (j^{e}hûd), den Namen der persischen Provinz Juda zu lesen, so daß die Münze im Zusammenhang unserer Überlegungen außer Betracht fällt. Vgl. BRL^2 234a (mit Literaturhinweisen; Abbildung: 233b, Abb.56,1, vgl. AOB Nr.362); anders M.Rose, der an der Lesung יהו festhalten möchte (Jahwe. Zum Streit um den alttestamentlicheen Gottesnamen, ThSt[B] 122 [1978] 32, Anm.119, mit Literaturhinweisen).

(kosmischer wie sozialer) Ordnung durch die Sonne als 'schlechthinigen Richter' offenbart, realisiert sich - so sahen wir schon - kosmische grundlegende Ordnung, Maat in Ägypten[215], Kittu und Mēšaru in Mesopotamien[216]. So ist Šamaš der 'Herr von Kittu und Mēšaru[217]; Re ist der 'Herr der Maat'[218], diese die 'Tochter des Re'[219], die ihn 'umarmt'[220], auf seiner Fahrt in der Sonnenbarke ihn begleitet und vor ihm steht[221]. Daß dieser altorientalischen Vorstellung im Hebräischen in besonderer Weise der Begriff צדק im Sinn von 'Gerechtigkeit als Weltordnung' entspricht, ist bekannt und braucht hier nicht eigens herausgehoben zu werden. H.H.Schmid ist in seiner gleichnamigen Arbeit jenem 'Gerechtigkeitsbegriff' mit seinem altorientalischen Hintergrund in seiner verschiedenen israelitischen Ausgestaltung durch den Jahweglauben ausführlich nachgegangen und hat, neben anderem, auch gerade die enge Verwurzelung von צדק und dessen Personifizierung in der Gottheit Ṣädäḳ im vorisraelitischen Jerusalem gezeigt[222]. Es wundert deshalb nicht

[215] Vgl. Assmann aaO. (Anm.170) 78 und passim; ÄHG Nr.125. Vgl. u.a. Bonnet, RÄRG 430-434; S.Morenz, Ägyptische Religion, RM 8 (^{2}1977) 117-143; Kees, Götterglaube im Alten Ägypten (Anm.42) 248f; H.H.Schmid, Wesen und Geschichte der Weisheit. Eine Untersuchung zur altorientalischen und israelitischen Weisheitsliteratur, BZAW 101 (1966) 17ff und passim; ders., Gerechtigkeit als Weltordnung. Hintergrund und Geschichte des alttestamentlichen Gerechtigkeitsbegriffes, BHTh 40 (1968) 46ff, u.a.m.

[216] Für Belege von Kittu und Mēšaru vgl. W.von Soden, Akkadisches Handwörterbuch I (1965) 494f, II (1972) 659f. Vgl. auch Kraus, Psalmen (Anm.34) 788; Schmid, Gerechtigkeit als Weltordnung 79f.

[217] Vgl. SAHG 320; HPBA 388. Vgl. u.a. in einer 'Beschwörung bei Utu': "Möge dich 'Gerechtigkeit', dein geliebter Kämmerer, geleiten" (SAHG 221); "Möge 'Recht' zu deiner Rechten stehen, möge 'Gerechtigkeit' zu deiner Linken stehen!" (SAHG 222, vgl. 320); in einem Gebet Nabonids an Šamaš: "Kittu, Mischaru und Dajjanu, die Götter, die vor dir sitzen, ..." (SAHG 289). In einer Gebetsbeschwörung ist Šamaš Kittu und Mēšaru (HPBA 230).

[218] Vgl. ÄHG Nr.51,7; 69,12f; 84,1; 87A,14.C,62.F,146; vgl. Morenz aaO. (Anm.215) 136.

[219] Vgl. ÄHG Nr.70,6; 101,47; 121,45; 125,34.81; vgl. A.Barucq-F.Daumas, Hymnes et Prières de l'Égypte Ancienne (HPEA), LAPO 10 (1980), Nr. 60,2; 141,2. Für weitere Belege vgl. A.Erman-H.Grapow, Wörterbuch der Ägyptischen Sprache (1926-1931) II 20, Anm.11.

[220] Vgl. ÄHG Nr.29,8; 32,6; 42A,14; 51,15.

[221] Vgl. ÄHG Nr.1,14; 21,15-18; 49,10f; 75,14f; 121,45; 125,81; 191,22 u.ö. - Abbildung in Bonnet, RÄRG 738, Abb.176 (= Keel, Bildsymbolik [Anm.67], Abb.287); Keel aaO., Abb.32.

[222] Schmid aaO., zur Gottheit Ṣädäḳ vgl. 75ff. Vgl. Ahlström, Psalm 89 (Anm.146) 78ff; R.A.Rosenberg, The God Ṣedeq, HUCA 36 (1965) 161-

- und darauf sei hier nur hingewiesen -, daß nun in der gleichen Termino-
logie nach Ps 85,14 analog zur Maat vor dem Sonnengott Re צדק , 'Gerechtigkeit', vor Jahwe hergeht[223]. Weiter ist daran zu erinnern, daß der
Prophet Jesaja die Stadt Jerusalem - nach einem wohl späteren Zusatz[224]:
die Stadt der 'Mörder' (Jes 1,21) - als deren neue mögliche Alternative
in der Verwirklichung von Recht mit dem Namen עיר הצדק , 'Stadt der
Gerechtigkeit', nennt (Jes 1,26), mit dem gleichen Namen also, mit
dem die LXX (Jes 19,18) die 'Sonnenstadt' (MT cj. עיר החרס) Heliopolis
bezeichnet[225]. Diese neue, andere Möglichkeit wird hier vom Propheten
angezeigt und angeboten gegenüber der sehr realen, einmal beinahe schon
Wirklichkeit gewordenen Möglichkeit, in Gericht und Strafe Sodom gleich
zu werden (vgl. Jes 1,9), jener einst von Jahwe (ursprünglich vom Sonnengott) bei Sonnenaufgang gerichteten Frevler-Stadt.

Auch hier zeigt sich Jahwe noch einmal in einer bestimmten Nachfolge
alter Sonnenreligion. So wäre es denn auch interessant und lohnend,
auf jenem aufgezeigten Hintergrund noch einmal die Aussagen über 'Gerechtigkeit als Weltordnung', wie sie im Alten Testament begegnen, daraufhin
durchzusehen und zu überprüfen, ob und inwieweit in ihnen jeweils noch
solare Vorstellungen im Rahmen eines universal-weisheitlichen Ordnungs-
denkens nachwirken und bestimmend sind.

VIII. Strittigkeit der Interpretation solarer Elemente im Jahweglauben

Es wäre freilich verfehlt, aus all dem Bemerkten nunmehr den Schluß
zu ziehen und - wie neben anderen Morgenstern in seinen verschiedenen
Arbeiten es pointiert immer wieder getan hat - zu behaupten, der ursprünglich nomadische Gott Jahwe sei zum sterbenden und auferstehenden

177; Stolz, Strukturen und Figuren (Anm.30) 218f; K.Koch. Art.צדק
ṣdq gemeinschaftstreu/heilvoll sein, THAT II 507-530, hier 509 und
passim.

[223] Vgl. Ps 85,12 auch das von Ṣädäḳ ausgesagte 'Blicken vom Himmel';
vgl. Schmid aaO. 76. Zum Versuch Rosenbergs, Reste der Vorstellung
Ṣädäḳs, "the beneficent manifestation of the sun god" (aaO. 164), in
einer Reihe von anderen alttestamentlichen Stellen namhaft zu machen, vgl. aaO. 170ff.

[224] Vgl. die Kommentare z.St.

[225] Siehe oben S.13. Vgl. auch Jer 31,23 die Bezeichnung Judas und seiner Städte als נוה צדק , 'Wohnstätte Ṣädäḳs/der Gerechtigkeit', ein
Begriff, der Jer 50,7 als Epitheton von Jahwe selbst ausgewiesen ist.

israelitischen, besonders jerusalemischen, Sonnengott geworden[226].
Aber man wird in der Tat von signifikanten solaren Elementen sprechen
können und müssen, die - nicht bloß als Randerscheinungen - der Jahweglauben aufgenommen, übernommen und auf Jahwe selbst übertragen hat.
Dies insofern, als sie zu den Grunderfahrungen menschlichen Lebens,
menschlicher Lebensbewältigung gehören: Grunderfahrungen und universales
Wissen, nunmehr dem israelitischen Jahweglauben integriert, wie die
Welt 'in Ordnung' sein kann und soll, Grunderfahrungen aber auch des
Defizits und der Gefährdung schlechthiniger Ordnung; Grunderfahrungen
also einer für die Welt insgesamt - für das Leben sowohl der Gemeinschaft als auch des einzelnen in allen seinen Sinndimensionen - erfahrenen, (und so auch) erhofften wie zugleich auch immer wieder strittigen,
gefährdeten heilsamen Ordnung.

So ging und geht es alles in allem nicht bloß um unbedeutende und
eher negative 'Spuren solarer Elemente'. Vielmehr zeigen sich diese,
offenbar gerade in Jerusalem, als ein wichtiges Movens in der Geschichte
des Jahweglaubens.

Freilich lag in der Übernahme und Weiterführung solarer Elemente,
die gerade nicht nur synkretistischem Volksglaubensgut entsprachen
und Zeichen eines 'religiösen Mischmasch'[227] waren, zugleich immer
wieder auch die Möglichkeit einer Gefährdung und Abirrung des Jahweglaubens. Dies war anscheinend insbesondere dann der Fall, wenn zu
Zeiten bestimmter politisch-kultureller Konstellationen - in der Zeit
der assyrischen wie babylonischen Oberherrschaft - verstärkt solare
Fremdeinflüsse auftraten, Einflüsse, die zumindest den Anlaß geben
konnten, daß unmerklich, unter der Hand, ein vom Jahweglauben her legi-
timer, weil gerade essentieller 'solarer' Jahwismus in einen 'jahwi-
stisch-synkretistischen Solarismus' abgleiten konnte.

Daß diese Gefahr der Strittigkeit der Interpretation gelebten und
praktizierten Jahweglaubens existierte und virulent wurde, mag gerade
ein Text wie Ez 8,16ff deutlich zeigen. Dem im Jerusalemer Tempel offenbar von Priestern ausgeübten und nach deren Meinung und Verständnis
dem Jahweglauben durchaus adäquaten und so positiv zu bewertenden 'solaren' Ritus[228] schleudert der ebenfalls aus priesterlicher Tradition

---

[226] Vgl. oben S.6f.

[227] So der Ausdruck von Fohrer (Anm.33) 128; siehe oben S.9.

[228] Vgl. Zimmerli, Ezechiel (Anm.38) 221. Vgl. oben S.9 und 12.

stammende Prophet Ezechiel seine Kritik entgegen und qualifiziert diesen als 'Greuel' (תועבות); er tut dies (vielleicht bezeichnenderweise) aus dem Exil, also aus einem religiös-kulturellen Umfeld, in dem ihm nun in der Tat 'Sonnenkult' in seiner verschiedenen Ausprägung konkret begegnet.

Es fällt dabei auf, daß im Zusammenhang des von Ezechiel gerügten Vergehens der falschen, geosteten Gebetsrichtung ausgerechnet in der Jahwerede selbst, an deren Ende ein merkwürdiger, schwer verständlicher und so auch verschieden gedeuteter Brauch apostrophiert wird, auf ein soziales Vergehen hingewiesen wird: Mit 'Gewalttat' (חמס)[229] hätten sie das Land erfüllt (V.17). Nun neigt man normalerweise dazu, gerade diesen Satz (V.17b) als nicht zum Grundbestand des Textes gehörenden Einschub zu eliminieren[230]. Es ist aber zu fragen und sorgsam zu erwägen, ob er nicht von der Sache her, als ein nicht so ohne weiteres zu eliminierendes Element, mit in den Text gehört und im Rahmen der zur Diskussion stehenden Vorstellungen gerade noch einmal deutlich den engen Bezug von 'Sonne'/Jahwe und Verwirklichung von Recht(sordnung) aufzeigt. Der 'Greuel' wäre dann nicht nur und nicht so sehr - dies freilich auch - in der verkehrten Gebetsrichtung zu sehen, sondern in der Perversion und Unverschämtheit, nach Osten gewandt, sicher in einer solaren Interpretation Jahwes, der Sonne zu sich niederzuwerfen, Herstellung der heilen, kosmischen und sozialen (wie auch politischen) Ordnung zu erwarten, im Symbol der an die Nase geführten זמורה, der 'Weinranke', die Vergegenwärtigung neu geschenkten Lebens, neuer Lebenskraft (von Jahwe) zu erwarten und zu erfahren[231] und dabei zuvor und

---

[229] Vgl. dazu H.J.Stoebe, Art. חָמָס ḥamas Gewalttat, THAT I 583-587. Zimmerli macht darauf aufmerksam, daß der Begriff bei Ezechiel "an nicht unwichtigen Stellen", einschließlich Ez 8,17, vorkomme (aaO. 180); vgl. Ez 7,11.23 (synonym zu דמים, 'Bluttat'); 8,17; 12,19; 28,16; 45,9 (parallel zu שׁד, 'Mißhandlung', als Oppositum zu משפט וצדקה, 'Recht und Gerechtigkeit'). In der Verbindung mit מלא, 'voll sein' (Ez 7,23; 8,17; 28,16; Mi 6,12; Zeph 1,9; Gen 6,11.13) kommt dabei zum Ausdruck, daß חמס gleichsam als dingliche Tatsphäre einen Raum - ne Stadt, ein Land - 'ausfüllen' kann (vgl. auch Ps 74,20 die מס ⸢נאו⸣, 'Stätten der Gewalttat', analog zu נוה שׁלום [Jes 32, 18], צדק '_ [Jer 31,23; 50,7] u.a.m.; vgl. HAL III 641a).

[230] Vgl. Zimmerli aaO. 195.205.222; Fohrer, Ezechiel (Anm.38) 51.

[231] Die Frage, wie der im Alten Testament nur hier erwähnte Ritus, die זמורה an die Nase zu halten, zu deuten sei, ist - schon von den alten Übersetzungen an - umstritten. Es ist denn auch "dieser rätselhafte Ausdruck ... sehr verschieden gedeutet worden" (Fohrer aaO.

zugleich das Land in der Negierung jeglicher guten Ordnung mit der dieser widerstreitenden Machtsphäre von חמס , 'Gewalttat', erfüllt zu haben.

Das Beispiel aus Ezechiel macht deutlich, wie Israel mit seiner Rezeption, Adaption und Integration solarer Elemente in den Jahweglauben eine Gratwanderung einschlägt, deren Weg nicht ungefährdet ist und je und dann, zumal im Zusammentreffen und in der Auseinandersetzung mit (unter Umständen zum Verwechseln) ähnlichen religiösen Vorstellungen und Inhalten, in die Zweideutigkeit, in Mißverständnisse und Fehlinterpretationen, ja in die Verfälschung des Jahweglaubens abgleiten kann,

52), und dementsprechend gehen auch die Übersetzungen auseinander. Auf einzelne, z.T. recht abwegige Interpretationen kann hier nicht eingegangen werden. Als ein Beispiel sei hier nur jene von Schmidt erwähnt, der zwar bemerkt, es heiße "wörtlich: 'Sie werfen die Weinranke an ihre Nasen'" (Die großen Propheten [Anm.188] 403, Anm.1), den Text dann aber, weil angeblich so nicht sinnvoll, ändert und selber nun vorschlägt: "Sie schleudern mir ihre Widerspenstigkeit ins Gesicht!" (ebd.). Im übrigen kann für verschiedene Deutungen auf die Kommentare von Zimmerli (aaO. 195.222) und Fohrer (aaO. 52) hingewiesen werden. - Folgende Punkte sind m.E. für eine Erklärung zu beachten: 1. Das An-die-Nase-Halten der זמורה hängt eng mit dem solaren Ritus von V.16 zusammen und ist in diesem Kontext zu deuten. 2. Für זמורה wird man von der auch sonst im Alten Testament dafür belegten Bedeutung als 'Weinranke' (HAL I 261b s.v.; Hinweise auf verschiedene Deutungen z.St. 262a) auszugehen haben (vgl. auch Fohrer aaO. 52; Saggs, The Branch to the Nose [Anm.38] 324ff). Die vom Targum angedeutete und von der späteren jüdischen Exegese vertretene Deutung als 'Gestank', die nach Zimmerli zwar "etymologisch undurchsichtig bleibt", aber dennoch "auf die richtige Fährte weist" (aaO. 223), ist, zusammen mit anderen Deutungen (wie z.B. 'Phallus', 'Rebmesser', Ableitung von III זמר) nicht wahrscheinlich, noch weniger die seinerzeit von Schmidt vorgeschlagene Konjektur. Bekannt ist die Lebenssymbolik von Weinrebe/-ranke, sie bedarf kaum einer näheren Erläuterung (Es ist nicht von ungefähr, daß in der Dekoration der Synagoge von Dura-Europos des 3.Jh.n.Chr. unmittelbar aus der Toranische in der ersten Schicht der Bemalung ein Weinrankengewächs emporwuchs, das - als Lebensbaum - die Leben spendende Kraft der Tora symbolisierte; vgl. C.H.Kraeling, The Synagogue. The Excavations at Dura-Europos, Final Report VIII, Part I [1956] 63, Abbildung Pl.XVII; K.Schubert, Die Bedeutung des Bildes für die Ausstattung spätantiker Synagogen - dargestellt am Beispiel der Thoraschreinnische der Synagoge von Dura Europos, Kairos 17 [1975] 11-23, hier 15f, vgl. Abb.14). Es sei hier nur darauf hingewiesen, daß die Weinranke - unter anderem - auch in Südarabien als Lebenssymbol bekannt ist und dort, wenngleich sie nicht nur einer Gottheit zugeordnet werden kann, gerade auch in Verbindung mit der Sonne begegnet (vgl. WM I 550ff.491; M.Höfner, in: Die Religionen Altsyriens, Altarabiens und der Mandäer, RM 10,2 [1970] 306f.315); eine sabäische Tempelbauinschrift (DJE 17) erwähnt den Bau des Tempels 'Wainān (= 'Weingarten', 'Weintraube') ihrer Sonne(ngöttin)', eine andere

ohne daß man (subjektiv) dessen überhaupt gewahr wird. Es ist der (auch im geographischen Sinn so zu bezeichnende) 'Außenseiter', der Prophet, der fern vom Ort der erfahrenen und geglaubten Verwirklichung von Jahwes Heil im Exil eine Fehlentwicklung und Depravierung des Jahweglaubens erkennt und als solche als 'Greuel' geißelt.

Konnte so die Übernahme ursprünglich solarer Vorstellungen einerseits für den Jahweglauben Wesentliches zur Sprache bringen, so konnte sie andererseits zuzeiten diesen gerade gefährden.

Es ist deshalb bezeichnend und verständlich und von der Sache her geboten, daß auch später im Judentum - und damit kehren wir zum Ausgangspunkt unserer Fragestellung zurück - zur Zeit einer heidnischen solaren Religion und einer damit gegebenen Möglichkeit einer Mißdeutung jüdischen Jahweglaubens und jüdischer Existenz als Idolatrie das Bild der 'Sonne' in der hellenistischen Art der Darstellung in der Synagoge (mit gutem Grund) keinen Platz hatte. Erst zu einer anderen Zeit konnte

Inschrift (RES 3958) nennt in Götteranrufungen (Z.11) 'die Sonne(n-göttin), die Herrin der Stele von Wainān' (W.W.Müller, Neuentdeckte sabäische Inschriften aus al-Ḥuqqa, NESE 1 [1972] 103-121, hier 104f und 108). 3.Die alten Übersetzungen bestätigen in ihrer sonst unterschiedlichen Deutung der Textstelle gerade den MT אפם, 'ihre Nase' (mit Suff.3.m.pl.). Eine Änderung (tiq soph, vgl. E.Würthwein, Der Text des Alten Testaments [³1966] 24) eines ursprünglichen אפי , 'meine Nase', als "eine(r) für spätere Ohren unerträgliche(n) Aussage" (Zimmerli aaO. 195) braucht nicht angenommen zu werden (Gegen Zimmerli ebd.; Fohrer aaO. 51. Zur Erklärung von ursprünglichem אפי als seltenem Dual abs. ohne Mimation vgl. Saggs aaO. 319; W.Gesenius-E.Kautzsch, Hebräische Grammatik [²⁸1909/1962] §87f). Hier ist nun an die Vorstellungen in Ägypten zu erinnern, die in anderem Zusammenhang zur Sprache kamen, wonach es 'Lebenshauch an die Nase' ist, die Strahlen der Sonne zu sehen (vgl. ÄHG Nr.91,55f), ebenso an die ikonographische Darstellung der Gabe des Lebens im (Ankh-Zeichen) an die Nase (vgl. oben S.25). Saggs hat zudem auf altorientalische Bilder aus dem mesopotamischen Raum aufmerksam gemacht, auf denen der kultische Verehrer mit einem gleichen Gestus die Hand (mit einem Gegenstand, einer Blume) zur Nase hält, wobei der Gegenstand der Verehrung häufig, wenn auch nicht ausschließlich, die Sonnengottheit ist (aaO. 321ff mit Belegen), so daß er zum Schluß kommt: "The 'branch to the nose' rite of Ezek.viii.17 may therefore be considered to be paralleled in the Mesopotamian milieu in two main respects, namely in the form and matter of the gesture, and in the sun-god as the primary object of worship" (aaO. 329). - Insgesamt geht es hier also nicht darum, daß - wie Fohrer auf Grund der Lesung 'meine (sc. Jahwes) Nase' meint - die Betenden der sich erhebenden Sonne bzw. "Jahwe selbst, dem Herrn allen Lebens, neues Leben zu schenken scheinen" (aaO. 52). Vielmehr erfahren diese in dem symbolischen Gestus selber Gabe neuen Lebens.

es nun gerade in der Kontinuität der Behauptung wesentlicher Aussagen
(offenbar) gegen die von den Christen geglaubte und proklamierte 'neue
Sonne der Gerechtigkeit' Zentrum der synagogalen Ikonographie werden
und in der Auseinandersetzung um letztgültige heilsame Ordnung und
deren Verwirklichung (im Zusammenhang auch mit andern Bildern) eine
adäquate jüdische Antwort geben. Auf eindrückliche Weise wird hier
augenfällig der einzige und alleinige Ort der Verwirklichung kosmisch-
universaler, heilvoller Ordnung, das, 'was die Welt im Innersten zusammenhält', deutlich gemacht. In der Sonne (zusammen mit dem Tierkreis)
proklamiert die Synagoge Jahwe, den in seiner heilvollen Tora gegenwärtigen Gott Israels, als den, der sich selbst in der kosmischen Ordnung
und durch diese kundtut. Kosmische Ordnung und Tora und deren Erfüllung
gehören so in einer konstitutiven Interdependenz eng zusammen. Indem
Israel sich in die in der Sonne manifeste kosmische Ordnung einfügt,
in der Jahwes heilschaffende Gerechtigkeit zutage tritt, realisiert
es auch und gerade seinen Gehorsam gegenüber der Tora und findet so
Leben. Und indem und insofern Israel die Tora hier und jetzt in ihren
verschiedenen Bezügen (sowohl der Gemeinschaft wie des einzelnen) erfüllt, 'Gerechtigkeit' verwirklicht, fügt es sich in die kosmische
heilvolle Ordnung ein, mehr noch: sichert es Ordnung und Bestand des
Kosmos, ist es selber "Träger der Weltordnung"[232].

Wir stehen damit am Ende unserer Überlegungen, die - ausgehend von
der bildlichen Darstellung der Sonne in der antiken Synagoge - solaren
Elementen im Alten Testament, deren Hintergründen und Vorstellungshori-
zonten nachzuspüren und diese in einigen Punkten aufzuzeigen versuchten.
Eine kleine Anmerkung sei hier am Rande wenigstens noch angefügt. Es
wäre wohl ein lohnendes Unternehmen, dem mit den hier angestellten
Überlegungen angezeigten Generalthema in seinen verschiedenen Ausgestal-
tungen im Lauf der Geschichte auch gerade in der Strittigkeit der Auseinandersetzung und Beurteilung nachzugehen: im Alten Orient, in der Antike, im Alten Testament, im Judentum, im Neuen Testament, in der Geschichte der Kirche wie in der Profangeschichte, in Leben, Glauben und Handeln
christlicher Gemeinde gestern und heute[233] - ein Unternehmen, das frei-

[232] Vgl. J.Maier, Geschichte der jüdischen Religion (1972) 118; vgl.
174f und passim.

[233] Ein kleiner Hinweis mag hier genügen: Es ist kaum von ungefähr, sondern steht in einer langen Kette der Tradition - auch der Tradition

lich die Kräfte eines einzelnen übersteigen würde. Einer interdiszipli-
nären, wenn nicht gar interkulturellen Arbeit ist damit zugleich das
Wort geredet.

Im Rahmen dieser Arbeit konnte allerdings Aufgabe und Ziel lediglich
sein, einige Probleme anzuschneiden und, wie es der Titel schon anzeig-
te, 'solare Elemente im Jahweglauben des Alten Testaments' zur Sprache
zu bringen.

der Gefahr von Fehlinterpretationen und Mißverständnissen -, wenn in
der Auseinandersetzung um eine bessere, gerechtere Gesellschaft und
Welt in einer Neu- oder besser: Wiederentdeckung globaler, universaler Zusammenhänge eine kirchliche kritische, protestierende Jugend,
die nicht bloß nach ihrem partikularen Wohl, sondern nach einer Verwirklichung von 'Gerechtigkeit' (eines biblischen ṣädäḳ) fragen und
Wege dahin finden möchte, oft und gerne gerade das Kirchenlied 'Sonne der Gerechtigkeit, gehe auf zu unsrer Zeit' (EKG 218) singt.

LITERATURVERZEICHNIS

Ahlström, G.W., Psalm 89. Eine Liturgie aus dem Ritual des leidenden Königs (1959).
ders., Aspects of Syncretism in Israelite Religion, HSoed V (1963).
Altheim, F., Der unbesiegte Gott. Heidentum und Christentum (1957).
Assmann, J., Ägyptische Hymnen und Gebete (ÄHG), Bibliothek der Alten Welt (1975).
ders., Re und Amun. Die Krise des polytheistischen Weltbilds im Ägypten der 18.-20.Dynastie, OBO 51 (1983).
Auerbach, E., Wüste und Gelobtes Land I (1932).
Avi-Yonah, M., Le Symbolisme du Zodiaque dans l'art Judéo-Byzantin, in: ders., Art in Ancient Palestine. Selected Studies (1981) 396-397.
Baethgen, F., Die Psalmen, HK II,2 (^{3}1904).
Bonnet, H., Reallexikon der ägyptischen Religionsgeschichte (1952).
van den Born, A., Zum Tempelweihespruch (1Kg VIII 12f.), OTS 14 (1965) 235-244.
v.Borries, E., Art. Iulianus (Apostata), PRE X,1 26-91.
Budde, K., Die Bücher Samuel, KHC VIII (1902).
Burney, C.F., The Book of Judges (1918).
Busink, Th.A., Der Tempel von Jerusalem von Salomo bis Herodes. Eine archäologisch-historische Studie unter Berücksichtigung des westsemitischen Tempelbaus. 1.Bd.: Der Tempel Salomos (1970).

Caquot, A. - Sznycer, M. - Herdner, A., Textes Ougaritiques. Tome 1: Mythes et Légendes, LAPO 7 (1974).
Charlier, C.V.L., Ein astronomischer Beitrag zur Exegese des Alten Testaments, ZDMG 58 (1904) 386-394.
Cowley, A., Aramaic Papyri of the Fifth Century B.C. (1923/1967).
Cross, F.M. - Saley, R.J., Phoenician Incantations on a Plaque of the Seventh Century B.C. from Arslan Tash in Upper Syria, BASOR 197 (1970) 42-49.
Crüsemann, F., Studien zur Formgeschichte von Hymnus und Danklied in Israel, WMANT 32 (1969).

Degen, R., Neue Fragmente aramäischer Papyri aus Elephantine II, NESE 3 (1978) 15-31.
Dillmann, A. - Kittel, R., Der Prophet Jesaja, KEH 5 (^{6}1898).
Dörrie, H., Die Solar-Theologie in der kaiserzeitlichen Antike, in: Frohnes, H. - Knorr, U.W., Die Alte Kirche. Kirchengeschichte als Missionsgeschichte, Bd.1 (1974) 283-292.
Dothan, M., The Synagogue at Hammath-Tiberias, in: L.I.Levine, Ancient Synagogues Revealed (1981) 63-69.
Driver, G.R. - Miles, J.C., The Babylonian Laws II (1955, Reprint 1960).
Dürr, L., Zur Frage nach der Einheit von Ps. 19, in: Beiträge zur Religionsgeschichte und Archäologie Palästinas. FS E.Sellin (1927) 37-48.
Duhm, B., Das Buch Jesaia (^{5}1963).
Dus, J., Gibeon - eine Kultstätte des Šmš und die Stadt des benjaminitischen Schicksals, VT 10 (1960) 353-374.
Dussaud, R., La mythologie phénicienne d'après les tablettes de Ras Shamra, RHR 104 (1931) 353-408.
van Dyke Parunak, H., Was Solomon's Temple aligned to the Sun?, PEQ 110 (1978) 29-33.

Elliger, K., Das Buch der zwölf Kleinen Propheten II , ATD 25 (^{5}1964).
Erman, A., Die Literatur der Ägypter (1923).

ders. - Grapow, H., Wörterbuch der Ägyptischen Sprache (1926-1931).
Even-Shoshan, A., A New Concordance of the Bible I-III,1.2 (1980).

Falkenstein, A. - von Soden, W., Sumerische und Akkadische Hymnen und
Gebete (SAHG), Bibliothek der Alten Welt (1953).
Fauth, W., Sonnengottheit (^{d}UTU) und 'Königliche Sonne' (^{d}UTU^{ši}) bei
den Hethitern, UF 11 (1979) 227-263.
Fritz, V., Tempel und Zelt. Studien zum Tempelbau in Israel und zu dem
Zeltheiligtum der Priesterschrift, WMANT 47 (1977).
Fohrer, G., Geschichte der israelitischen Religion (1969).
ders., Geschichte Israels. Von den Anfängen bis zur Gegenwart, UTB
708 (1977).
ders., Das Buch des Propheten Jesaja. 1.Bd. Kap. 1-23, ZBK (^{2}1966).
ders., Ezechiel, HAT 13 (1955).

v.Gall, A.Frhr., Ein neues astronomisch zu erschließendes Datum der äl-
testen israelitischen Geschichte, in: Beiträge zur alttestamentli-
chen Wissenschaft, FS K.Budde (Hg.K.Marti), BZAW 34 (1920) 52-60.
Galling, K., Tempel in Palästina, ZDPV 55 (1932) 245-250.
Gamper, A., Gott als Richter in Mesopotamien und im Alten Testament.
Zum Verständnis einer Gebetssitte (1966).
Gaster, Th.H., Thespis. Ritual, Myth, and Drama in the Ancient Near
East (1950, Neuaufl. 1977).
Gese, H., Die Einheit von Psalm 19, in: Verifikationen. FS G.Ebeling,
hg.v.E.Jüngel, J.Wallmann, W.Werbeck (1982) 1-10.
ders., - Höfner, M. - Rudolph, K., Die Religionen Altsyriens, Altara-
biens und der Mandäer, RM 10,2 (1970).
Gesenius,W. - Kautzsch,E., Hebräische Grammatik (^{28}1909/1962).
Görg, M., Gott-König-Reden in Israel und Ägypten, BWANT 105 (1975).
ders., Die Gattung des sogenannten Tempelweihspruchs (1Kg 8,12f), UF 6
(1974) 55-63.
Goodenough, E.R., Jewish Symbols in the Greco-Roman Period 8/2 (1958).
Gordon, C.H., Ugaritic Literature. A Comprehensive Translation of the
Poetic and Prose Texts (1949).
Gray, J., The Legacy of Canaan. The Ras Shamra Texts and their Rele-
vance to the Old Testament, VT.S 5 (1957).
Grelot, P., Documents Araméens d'Égypte, LAPO 5 (1972).
Greßmann, H., Die Anfänge Israels (Von 2.Mose bis Richter und Ruth),
SAT I,2 (^{2}1922).
ders., Die älteste Geschichtsschreibung und Prophetie Israels (von
Samuel bis Amos und Hosea), SAT II,1 (^{2}1921).
ders., Josia und das Deuteronomium, ZAW 42 (1924) 313-337.
Gunkel, H., Die Psalmen (^{5}1968).

Halsberghe, G.H., The Cult of the Sol Invictus (1972).
Hartmann, Th., Art. שֶׁמֶשׁ šaemaeš Sonne, THAT II 987-999.
Hertzberg, H.W., Die Bücher Josua, Richter, Ruth, ATD 9 (^{2}1959).
ders., Die Samuelbücher, ATD 10 (^{2}1960).
ders. - H.Bardtke, Der Prediger - Das Buch Esther, KAT XVII 4/5 (1963).
Herz, P., Bibliographie zum römischen Kaiserkult (1955-1975), ANRW II
16.2 (1978) 833-910.
Herzog-Hauser, G., Art. Kaiserkult, PRE Suppl. IV 806-853.
Hesse, F., Hiob, ZBK AT 14 (1978).
Hestrin, R. - Dayagi, M., A Seal Impression of a Servant of King Heze-
kiah, IEJ 24 (1974) 27-29.
Hoffmann, H.-D., Reform und Reformen. Untersuchungen zu einem Grundthema der deuteronomistischen Geschichtsschreibung, AThANT 66 (1980).

Hollis, F.J., The Sun Cult and the Temple at Jerusalem, in: S.H.Hooke (Ed.), Myth and Ritual (1933) 87-110.

Hüttenmeister, F., Die jüdischen Synagogen, Lehrhäuser und Gerichtshöfe, TAVO, Beiheft B/12/1 (1977).

Jeremias, J., Theophanie. Die Geschichte einer alttestamentlichen Gattung, WMANT 10 (^{2}1977).

Johnson, A.R., The Role of the King in the Jerusalem Cultus, in: S.H. Hooke (Ed.), The Labyrinth. Further Studies in the Relation between Myth and Ritual in the Ancient World (1935) 71-111.

Kaiser, O., Das Buch des Propheten Jesaja. Kap.1-12, ATD 17 (^{5}1981).

ders., Der Prophet Jesaja. Kap. 13-39, ATD 18 (1973).

Karayannopulos, I., Konstantin der Große und der Kaiserkult, in: A.Wlosok (Hg.), Römischer Kaiserkult, WdF 372 (1978) 485-508.

Kaufmann, Y. (קויפמן.י.), ספר שופטים (1962).

Keel, O., Die Welt der altorientalischen Bildsymbolik und das Alte Testament. Am Beispiel der Psalmen (^{2}1977).

ders., Wer zerstörte Sodom?, ThZ 35 (1979) 10-17.

Kees, H., Der Götterglaube im Alten Ägypten (^{2}1956).

Kittel, R., Die Psalmen, KAT XIII ($^{5.6.}$1929).

Klein, R. (Hg.), Julian Apostata, WdF 509 (1978).

Klopfenstein, M.A., Scham und Schande nach dem Alten Testament. Eine begriffsgeschichtliche Untersuchung zu den hebräischen Wurzeln bôš, klm und ḥpr, AThANT 62 (1972).

Knudtzon, J.A., Die El-Amarna-Tafeln, VAB 2,1.2 (1915).

Koch, K., Art. צדק ṣdq gemeinschaftstreu/heilvoll sein, THAT II 507-530.

Koep, L., Die Konsekrationsmünzen Kaiser Konstantins und ihre religionspolitische Bedeutung, in: A.Wlosok (Hg.), Römischer Kaiserkult, WdF 372 (1978) 509-527.

Kraeling, E.G., The Brooklyn Museum Aramaic Papyri. New Documents of the Fifth Century B.C. from the Jewish Colony at Elephantine (1953).

Kraeling, C.H., The Synagogue. The Excavations at Dura-Europos, Final Report VIII, Part I (1956).

Kraus, H.-J., Psalmen, BK XV/1.2 (^{5}1978).

ders., Theologie der Psalmen, BK XV/3 (1979).

Labat, R. - Caquot, A. - Sznycer, M. - Vieyra, M., Les religions du Proche-Orient asiatique (1970).

Lange, K. - Hirmer, M., Ägypten (1967, Sonderausg. 1978).

Latte, K., Römische Religionsgeschichte, HAW V.4 (1960).

Lauha, A., Kohelet, BK XIX (1978).

Leipoldt, J., Iulianus in der Religionsgeschichte, SSAW 110,1 (1964).

Levine, L.I. (Ed.), Ancient Synagogues Revealed (1981).

Lisowsky, G., Konkordanz zum Hebräischen Alten Testament (1958).

Loretz, O., Qohelet und der Alte Orient. Untersuchungen zu Stil und theologischer Thematik des Buches Qohelet (1964).

ders., Der Torso eines kanaanäisch-israelitischen Tempelweihspruchs in 1Kg 8,12-13, UF 6 (1974) 478-480.

Lührmann, D., Tage, Monate, Jahreszeiten, Jahre (Gal 4,10), in: Werden und Wirken des Alten Testaments. FS C.Westermann (1980) 428-445.

Maier, J., Vom Kultus zur Gnosis, Studien zur Vor- und Frühgeschichte der "jüdischen Gnosis". Bundeslade, Gottesthron und Märkabah, Kairos St 1 (1964).

ders., Geschichte der jüdischen Religion (1972).

ders., Die Tempelrolle vom Toten Meer, UTB 829 (1978).

ders., Die Sonne im religiösen Denken des antiken Judentums, ANRW II 19.1 (1979) 346-412.
Marbach, Art. Sol, PRE III A 1 (II,5) 901-913.
May, H.G., Some Aspects of Solar Worship at Jerusalem, ZAW 55 (1937) 269-281.
McKay, J.W., Religion in Judah under the Assyrians 732-609 BC, SBT 2.Ser. 26 (1973).
Meyer, G.R., Altorientalische Denkmäler im Vorderasiatischen Museum zu Berlin (1965).
Michel, O. - Bauernfeind, O., Flavius Josephus, De bello Judaico. Der jüdische Krieg. Griechisch und Deutsch, Bd.I (1959).
Millard, A.R., An Israelite Royal Seal?, BASOR 208 (1972) 5-9.
Morgenstern, J., The Gates of Righteousness, HUCA 6 (1929) 1-37.
ders., The King-God among the Western Semites and the Meaning of Epiphanes, VT 10 (1960) 138-197.
ders., The Fire upon the Altar (1963).
ders., The Cultic Setting of the "Enthronement Psalms", HUCA 35 (1964) 1-42.
Morenz, S., Ägyptische Religion, RM 8 ([2]1977).
Müller, H.-P., Art. קדש qdš heilig, THAT II 589-609.
Müller, W.W., Neudentdeckte sabäische Inschriften aus al-Ḥuqqa, NESE 1 (1972) 103-121.

Neusner, J., Early Rabbinic Judaism. Historical Studies in Religion, Literature and Art, SJLA 13 (1975).
Noth, M., Die israelitischen Personennamen im Rahmen der gemeinsemitischen Namengebung (1928, Nachdr. 1966).
ders., Das vierte Buch Mose. Numeri, ATD 7 (1966).
ders., Könige. 1.Teilbd., BK X/1 (1968).

Oestreicher, Th., Das Deuteronomische Grundgesetz, BFChTh 27,4 (1923).
Ogden, G.S., Qoheleth XI 7 - XII 8: Qoheleth's Summons to Enjoyment and Reflection, VT 34 (1984) 27-38.
Olshausen, J., Die Psalmen, KEH 14 (1853).

Rainey, A.F., El Amarna Tablets 359-379, AOAT 8 ([2]1978).
Renov, I., The Relation of Helios and the Quadriga to the Rest of the Beth-Alpha Mosaic, Yedioth 18 (1954) 198-201.
Ringgren, H., Israelitische Religion, RM 26 (1963).
ders., Die Religionen des Alten Orients, GAT Sonderbd. (1979).
ders. - Zimmerli, W., Sprüche, Prediger, ATD 16/1 ([3]1980).
ders. - Kaiser, O., Das Hohe Lied, Klagelieder, Das Buch Esther, ATD 16/2 ([3]1981).
Robinson, Th.H.-Horst, F., Die Zwölf Kleinen Propheten, HAT 14 ([3]1964).
Röllig, W., Die Amulette von Arslas Taş, NESE 2 (1974) 17-36.
Rose, M., Der Ausschließlichkeitsanspruch Jahwes, BWANT 106 (1975).
ders., Jahwe. Zum Streit um den alttestamentlichen Gottesnamen,ThSt(B) 122 (1978).
Rosenberg, R.A., The God Ṣedeq, HUCA 36 (1965) 161-177.
Rosenthal, F. (Ed.), An Aramaic Handbook, I/1.2-II/1.2, PLO X (1967).
Rudolph, W., Jeremia, HAT 12 ([3]1968).
ders., Hosea, KAT XIII/1 (1966).
ders., Joel - Amos - Obadja - Jona, KAT XIII/2 (1971).
ders., Micha - Nahum - Habakuk - Zephanja, KAT XIII/3 (1975).
ders., Haggai - Sacharja 1-8/9-14 - Maleachi, KAT XIII/4 (1976).
Rupprecht, K., Der Tempel von Jerusalem. Gründung Salomos oder jebusisches Erbe?, BZAW 144 (1977).

Saggs, H.W.F., The Branch to the Nose, JThS 11 (1960) 318-329.

Sarna, N.M., Art.שמש , EB(B) VIII (1982) 182-189.

Schaeffer, C.F.A., The Cuneiform Texts of Ras Shamra-Ugarit. Schweich Lectures 1936 (1939).

Schmid, H.H., Wesen und Geschichte der Weisheit. Eine Untersuchung zur altorientalischen und israelitischen Weisheitsliteratur, BZAW 101 (1966).

ders., Gerechtigkeit als Weltordnung. Hintergrund und Geschichte des alttestamentlichen Gerechtigkeitsbegriffes, BHTh 40 (1968).

Schmidt, H., Die großen Propheten, SAT II,2 (^{2}1923).

Schmidt, W.H., Die Schöpfungsgeschichte der Priesterschrift. Zur Überlieferungsgeschichte von Genesis 1,1-2,4a und 2,4b-3,24, WMANT 17 (^{2}1967).

ders., Wo hat die Aussage: Jahwe "der Heilige" ihren Ursprung?, ZAW 74 (1962) 62-66.

Schnutenhaus, F., Das Kommen und Erscheinen Gottes im Alten Testament, ZAW 76 (1964) 1-22.

Schubert, K., Die Bedeutung des Bildes für die Ausstattung spätantiker Synagogen - dargestellt am Beispiel der Thoraschreinnische der Synagoge von Dura Europos, Kairos 17 (1975) 11-23.

Sellin, E., Das Zwölfprophetenbuch. 2.Hälfte: Nahum - Maleachi, KAT XII,2 ($^{2.3}$1930).

Seux, M.-J., Hymnes et Prières aux Dieux de Babylonie et d'Assyrie (HPBA), LAPO 8 (1976).

Smallwood, E.M., The Jews under Roman Rule from Pompey to Diocletian. A Study in Political Relations, SJLA 20 (^{2}1981).

Smith, M., Goodenough's Jewish Symbols in Retrospect, JBL 86 (1967) 53-68.

Snijders, L.A., L'orientation du Temple de Jérusalem, OTS 14 (1965) 214-234.

von Soden, W., Akkadisches Handwörterbuch I (1965). II (1972).

Stade, B., Geschichte des Volkes Israel I (1887).

Stähli, H.-P., Knabe - Jüngling - Knecht. Untersuchungen zum Begriff נער im Alten Testament, BET 7 (1978).

Staerk, W., Lyrik (Psalmen, Hoheslied und Verwandtes), SAT III,1 (^{2}1920).

Stamm, J.J., Die akkadische Namengebung (^{2}1968).

ders., Beiträge zur hebräischen und altorientalischen Namenkunde (hg. E.Jenni und M.A.Klopfenstein), OBO 30 (1980).

ders., Zum Ursprung des Namens der Ammoniter, Archiv Orientální 17 (1949) 379-382 (abgedr. in: ders., Beiträge, aaO. 5-8).

ders., Der Name des Königs Salomo, ThZ 16 (1960) 285-297 (abgedr. in: ders., Beiträge, aaO. 45-57).

ders., Hebräische Ersatznamen, in: Studies in Honor of B.Landsberger, AS 16 (1965) 413-424 (abgedr. in: ders., Beiträge, aaO. 59-79).

ders., Ein Problem der altsemitischen Namengebung, in: Fourth World Congress of Jewish Studies. Papers, Vol.I (1967) 141-147 (abgedr. in: ders., Beiträge, aaO. 81-95).

Steck, O.H., Der Schöpfungsbericht der Priesterschrift. Studien zur literarkritischen und überlieferungsgeschichtlichen Problematik von Genesis 1,1-2,4a, FRLANT 115 (1975).

ders., Der Wein unter den Schöpfungsgaben. Überlegungen zu Psalm 104, TThZ 87 (1978) 173-191 (abgedr. in: ders., Wahrnehmungen Gottes im Alten Testament. Ges.Studien, TB 70 [1982] 240-261).

ders., Bemerkungen zur thematischen Einheit von Ps 19,2-7, in: Werden und Wirken des Alten Testaments. FS C.Westermann (1980) 318-324 (abgedr. in: ders., Wahrnehmungen, aaO. 232-239).

Stemberger, G., Die Bedeutung des Tierkreises auf Mosaikfußböden spätantiker Synagogen, Kairos 17 (1975) 23-56.
Stoebe, H.J., Das erste Buch Samuelis, KAT VIII/1 (1973).
ders., Art. חמס ḥamas Gewalttat, THAT I 583-587.
Stolz, F., Strukturen und Figuren im Kult von Jerusalem. Studien zur
altorientalischen, vor- und frühisraelitischen Religion, BZAW 118
(1970).
ders., Das erste und zweite Buch Samuel, ZBK AT 9 (1981).
Straub, J., Die Himmelfahrt des Julianus Apostata, in: A.Wlosok (Hg.),
Römischer Kaiserkult, WdF 372 (1978) 528-550.
Strauss, H., Die Kunst der Juden im Wandel der Zeit und Umwelt (1972).
Sukenik, E.L., The Ancient Synagogue of Beth-Alpha (1932).

Thackeray, H.St.J., New Light on the Book of Jashar (A Study of 3Regn.
VIII 53^b LXX), JThS 11 (1910) 518-532.
Turcan, R., Le culte impérial au III° siècle, ANRW II 16.2 (1978) 996-
1084.
Tushingham, A.D., A Royal Israelite Seal (?) and the Royal Jar Handle
Stamps, BASOR 200 (1970) 71-78. 201 (1971) 23-35.

Urbach, E.E., The Rabbinical Laws of Idolatry in the Second and Third
Centuries in the Light of Archaeological and Historical Facts, IEJ
9 (1959) 149-165.229-245.

Vattioni, F., Mal. 3,20 e une mese del calendario fenicio, Bib. 40
(1959) 1012-1015.
Vincent, L.-H., Jérusalem de l'Ancien Testament II-III (1956).
Vogt, J., Die constantinische Frage, in: H.Kraft (Hg.), Konstantin der
Große, WdF 131 (1974) 345-387.
Volz, P., Die Eschatologie der jüdischen Gemeinde im neutestamentli-
chen Zeitalter (1934, Nachdr. 1966).
Vuilleumier,R. - Keller,C.-A., Michée, Nahoum, Habacuc, Sophonie, CAT
XIb (1971).

Yadin, Y., The Temple Scroll (hebr.) I-IIIA (1977).
ders., "The Dial of Ahaz" (מעלות אחז), in: Eretz-Israel 5, FS B.Mazar
(1958) 91-96 (engl. Zusammenfassung 88 f).
ders., Symbols of Deities at Zinjirli, Carthage and Hazor, in: J.A.San-
ders (Ed.), Near Eastern Archaeology in the Twentieth Century. Essays in Honour of N.Glueck (1970) 199-231 (hebr. in: Yediot 31
[1967] 29-63).
Yahuda, A.S., Hebrew Words of Egyptian Origin, JBL 66 (1947) 83-90.
Weiser, A., Die Psalmen. Ps 61-150, ATD 15 (^{4}1955).
Welten, P., Die Königs-Stempel. Ein Beitrag zur Militärpolitik Judas
unter Hiskia und Josia, ADPV (1969).
Westermann, C., Genesis, BK I/1 (1974). 2 (1981).
ders., Ausgewählte Psalmen (1984).
ders., Art. נפש náefaeš Seele, THAT II 71-96.
Wildberger, H., Jesaja, BK X/1 (1972). 2 (1978). 3 (1982).
Wlosok, A. (Hg.), Römischer Kaiserkult, WdF 372 (1978).
Wolff, H.W., Dodekapropheton 1. Hosea, BK XIV/1 (1961).
ders., Dodekapropheton 2. Joel und Amos, BK XIV/2 (1969).
Würthwein, E., Der Text des Alten Testaments (^{3}1966).
ders., Das Erste Buch der Könige. Kap. 1-16, ATD 11,1 (1977).

Ziegler, J., Die Hilfe Gottes "am Morgen", in: Alttestamentliche Studien. FS F.Nötscher, BBB 1 (1950) 281-288.
Zimmerli, W., Ezechiel, BK XIII/1.2 (1969).

STELLENREGISTER

ABKÜRZUNGEN

ÄHG	Assmann, J., Ägyptische Hymnen und Gebete, Bibliothek der Alten Welt.
BET	Beiträge zur biblischen Exegese und Theologie, Frankfurt/M., Bern, Las Vegas.
DISO	Jean, Chr.-F. - Hoftijzer, J., Dictionnaire des Inscriptions Sémitiques de l'Ouest (1965).
EKG	Evangelisches Kirchengesangbuch.
GB	Gesenius, W. - Buhl, F., Hebräisches und Aramäisches Handwörterbuch über das Alte Testament (^{17}1915).
HAL	Baumgartner, W. - Stamm, J.J., Hebräisches und Aramäisches Lexikon zum Alten Testament (1967ff).
HPBA	Seux, M.-J., Hymnes et Prières aux Dieux de Babylonie et d'Assyrie, LAPO 8 (1976).
HPEA	Barucq, A. - Daumas, F., Hymnes et Prières de l'Égypte Ancienne, LAPO 10 (1980).
KTU	Dietrich, M. - Loretz, O. - Sanmartín, J., Die keilalphabetischen Texte aus Ugarit, AOAT 24,1 (1976).
SAHG	Falkenstein, A. - von Soden, W., Sumerische und Akkadische Hymnen und Gebete, Bibliothek der Alten Welt (1953).
TAVO	Tübinger Atlas des Vorderen Orients, Wiesbaden.
TUAT	Texte aus der Umwelt des Alten Testaments (hg.von O.Kaiser), Gütersloh (1982ff).
UT	Gordon, C.H., Ugaritic Textbook (1965).

Im übrigen richten sich die Abkürzungen nach TRE, Abkürzungsverzeichnis, zusammengestellt von S.Schwertner (1976).

ORBIS BIBLICUS ET ORIENTALIS

Bd. 19 MASSÉO CALOZ: *Etude sur la LXX origénienne du Psautier.* Les relations entre les leçons des Psaumes du Manuscrit Coislin 44, les Fragments des Hexaples et le texte du Psautier Gallican. 480 pages. 1978.

Bd. 20 RAPHAEL GIVEON: *The Impact of Egypt on Canaan.* Iconographical and Related Studies. 156 Seiten, 73 Abbildungen. 1978.

Bd. 21 DOMINIQUE BARTHÉLEMY: *Etudes d'histoire du texte de l'Ancien Testament.* XXV–419 pages. 1978.

Bd. 22/1 CESLAS SPICQ: *Notes de Lexicographie néo-testamentaire.* Tome I: p. 1–524. 1978. Epuisé.

Bd. 22/2 CESLAS SPICQ: *Notes de Lexicographie néo-testamentaire.* Tome II: p. 525–980. 1978. Epuisé.

Bd. 22/3 CESLAS SPICQ: *Notes de Lexicographie néo-testamentaire.* Supplément. 698 pages. 1982.

Bd. 23 BRIAN M. NOLAN: *The royal Son of God.* The Christology of Matthew 1–2 in the Setting of the Gospel. 282 Seiten. 1979.

Bd. 24 KLAUS KIESOV: *Exodustexte im Jesajabuch.* Literarkritische und motivgeschichtliche Analysen. 221 Seiten. 1979.

Bd. 25/1 MICHAEL LATTKE: *Die Oden Salomos in ihrer Bedeutung für Neues Testament und Gnosis.* Band I. Ausführliche Handschriftenbeschreibung. Edition mit deutscher Parallel-Übersetzung. Hermeneutischer Anhang zur gnostischen Interpretation der Oden Salamos in der Pistis Sophia. XI–237 Seiten. 1979.

Bd. 25/1a MICHAEL LATTKE: *Die Oden Salomos in ihrer Bedeutung für Neues Testament und Gnosis.* Band Ia. Der syrische Text der Edition in Estrangela Faksimile des griechischen Papyrus Bodmer XI. 68 Seiten. 1980.

Bd. 25/2 MICHAEL LATTKE: *Die Oden Salomos in ihrer Bedeutung für Neues Testament und Gnosis.* Band II. Vollständige Wortkonkordanz zur handschriftlichen, griechischen, koptischen, lateinischen und syrischen Überlieferung der Oden Salomos. Mit einem Faksimile des Kodex N. XVI–201 Seiten. 1979.

Bd. 26 MAX KÜCHLER: *Frühjüdische Weisheitstraditionen.* Zum Fortgang weisheitlichen Denkens im Bereich des frühjüdischen Jahweglaubens. 703 Seiten. 1979.

Bd. 27 JOSEF M. OESCH: *Petucha und Setuma.* Untersuchungen zu einer überlieferten Gliederung im hebräischen Text des Alten Testaments. XX–392–37* Seiten. 1979.

Bd. 28 ERIK HORNUNG / OTHMAR KEEL (Herausgeber): *Studien zu altägyptischen Lebenslehren.* 394 Seiten. 1979.

Bd. 29 HERMANN ALEXANDER SCHLÖGL: *Der Gott Tatenen.* Nach Texten und Bildern des Neuen Reiches. 216 Seiten, 14 Abbildungen. 1980.

Bd. 30 JOHANN JAKOB STAMM: *Beiträge zur Hebräischen und Altorientalischen Namenkunde.* XVI–264 Seiten. 1980.

Bd. 31 HELMUT UTZSCHNEIDER: *Hosea – Prophet vor dem Ende.* Zum Verhältnis von Geschichte und Institution in der alttestamentlichen Prophetie. 260 Seiten. 1980.

Bd. 32 PETER WEIMAR: *Die Berufung des Mose.* Literaturwissenschaftliche Analyse von Exodus 2,23–5,5. 402 Seiten. 1980.

Bd. 33 OTHMAR KEEL: *Das Böcklein in der Milch seiner Mutter und Verwandtes.* Im Lichte eines altorientalischen Bildmotivs. 163 Seiten, 141 Abbildungen. 1980.

Bd. 52   MIRIAM LICHTHEIM: *Late Egyptian Wisdom Literature in the International Context.* A Study of Demotic Instructions. X–240 Seiten. 1983.

Bd. 53   URS WINTER: *Frau und Göttin.* Exegetische und ikonographische Studien zum weiblichen Gottesbild im Alten Israel und in dessen Umwelt. XVIII–928 Seiten, 520 Abbildungen. 1983.

Bd. 54   PAUL MAIBERGER: *Topographische und historische Untersuchungen zum Sinaiproblem.* Worauf beruht die Identifizierung des Ġabal Mūsā mit dem Sinai? 189 Seiten, 13 Tafeln. 1984.

Bd. 55   PETER FREI/KLAUS KOCH: *Reichsidee und Reichsorganisation im Perserreich.* 119 Seiten, 17 Abbildungen. 1984

Bd. 56   HANS-PETER MÜLLER: *Vergleich und Metapher im Hohenlied.* 59 Seiten. 1984.

Bd. 57   STEPHEN PISANO: *Additions or Omissions in the Books of Samuel.* The Significant Pluses and Minuses in the Massoretic, LXX and Qumran Texts. XIV–295 Seiten. 1984.

Bd. 58   ODO CAMPONOVO: *Königtum, Königsherrschaft und Reich Gottes in den Frühjüdischen Schriften.* XVI–492 Seiten. 1984.

Bd. 59   JAMES KARL HOFFMEIER: *Sacred in the Vocabulary of Ancient Egypt.* The Term *DSR,* with Special Reference to Dynasties I–XX. XXIV–281 Seiten, 24 Figures. 1985.

Bd. 60   CHRISTIAN HERRMANN: *Formen für ägyptische Fayencen.* Katalog der Sammlung des Biblischen Instituts der Universität Freiburg Schweiz und einer Privatsammlung. XXVIII-199 Seiten. 1985.

Bd. 61   HELMUT ENGEL: *Die Susanna-Erzählung.* Einleitung, Übersetzung und Kommentar zum Septuaginta-Text und zur Theodition-Bearbeitung. 205 Seiten + Anhang 11 Seiten. 1985.

Bd. 62   ERNST KUTSCH: *Die chronologischen Daten des Ezechielbuches.* 82 Seiten. 1985.

Bd. 63   MANFRED HUTTER: *Altorientalische Vorstellungen von der Unterwelt.* Literar- und religionsgeschichtliche Überlegungen zu «Nergal und Ereškigal». VIII–187 Seiten. 1985.

Bd. 64   HELGA WEIPPERT/KLAUS SEYBOLD/MANFRED WEIPPERT: *Beiträge zur prophetischen Bildsprache in Israel und Assyrien.* IX–93 Seiten. 1985.

Bd. 65   ABDEL-AZIZ FAHMY SADEK: *Contribution à l'étude de l'Amdouat.* Les variantes tardives du Livre de l'Amdouat dans les papyrus du Musée du Caire. XVI–400 Seiten, 175 Abbildungen. 1985.

Bd. 66   HANS-PETER STÄHLI: *Solare Elemente im Jahweglauben des Alten Testamentes.* X–60 Seiten. 1985.

Bd. 67   OTHMAR KEEL/SILVIA SCHROER: *Studien zu den Stempelsiegeln aus Palästina/Israel.* Band I. 115 Seiten. 103 Abbildungen. 1985.

Bd. 68   WALTER BEYERLIN: *Weisheitliche Vergewisserung mit Bezug auf den Zionskult.* Studien zum 125. Psalm. 96 Seiten. 1985.